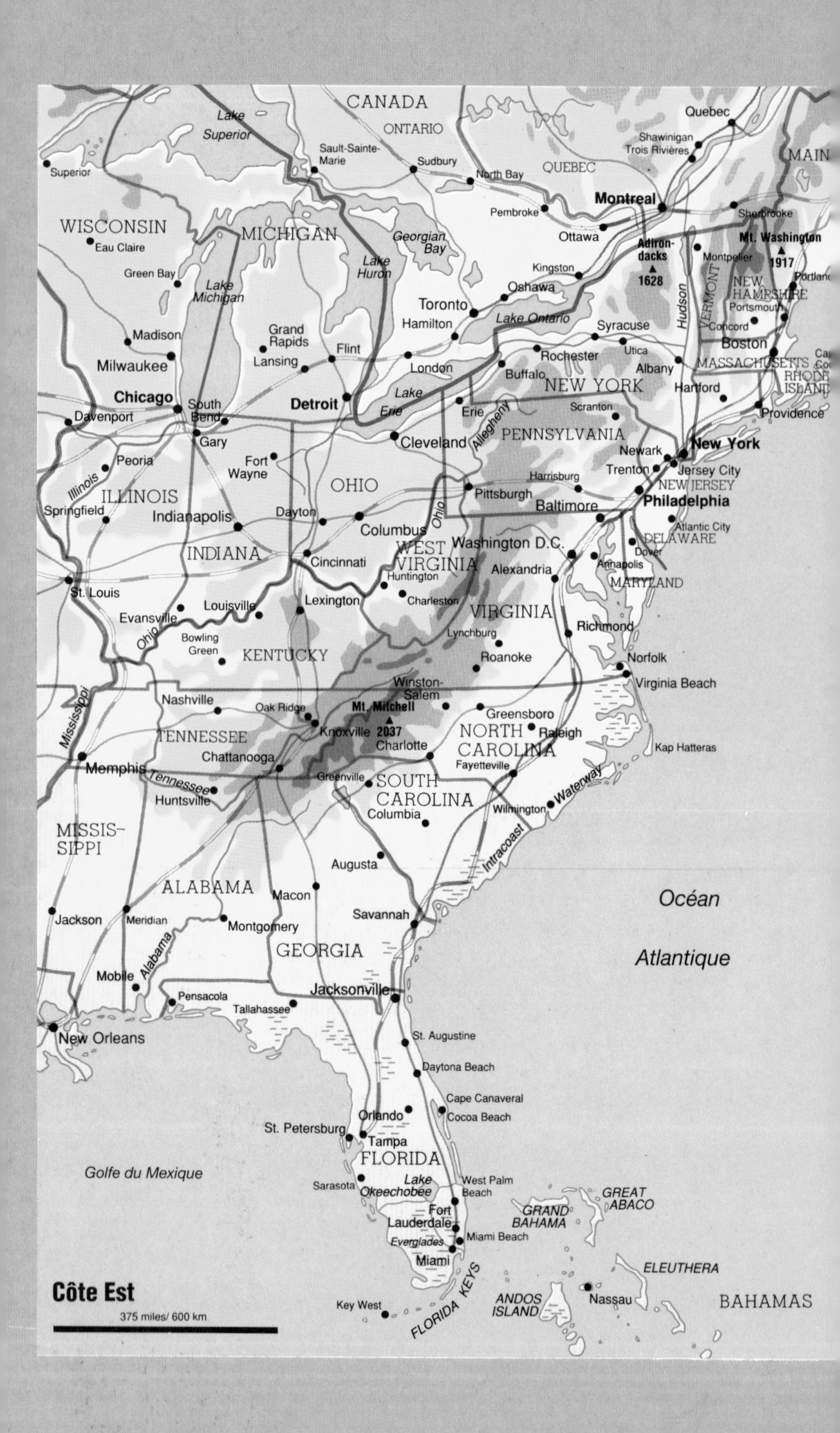

Côte Est
375 miles/ 600 km
CANADA
ONTARIO
QUEBEC
Lake Superior
Superior
Sault-Sainte-Marie
Sudbury
North Bay
Quebec
Shawinigan
Trois Rivières
Montreal
Pembroke
Ottawa
Sherbrooke
Mt. Washington
1917
Adirondacks
1628
WISCONSIN
Eau Claire
Green Bay
MICHIGAN
Georgian Bay
Lake Huron
Lake Michigan
Kingston
Oshawa
Toronto
Hamilton
Lake Ontario
Syracuse
Montpelier
VERMONT
NEW HAMPSHIRE
Portsmouth
Concord
Portland
Hudson
Madison
Milwaukee
Grand Rapids
Lansing
Flint
London
Rochester
Utica
Boston
Albany
MASSACHUSETTS
RHODE ISLAND
Buffalo
NEW YORK
Hartford
Providence
Chicago
South Bend
Detroit
Lake Erie
Erie
Allegheny
Scranton
Davenport
Gary
Cleveland
PENNSYLVANIA
Newark
New York
Peoria
Fort Wayne
Trenton
Jersey City
Illinois
ILLINOIS
OHIO
Harrisburg
NEW JERSEY
Springfield
Indianapolis
Dayton
Pittsburgh
Philadelphia
Baltimore
Columbus
Ohio
Atlantic City
DELAWARE
Washington D.C.
INDIANA
WEST VIRGINIA
Dover
Cincinnati
Annapolis
Alexandria
MARYLAND
St. Louis
Huntington
Lexington
Charleston
Louisville
Evansville
VIRGINIA
Richmond
Ohio
Bowling Green
KENTUCKY
Lynchburg
Roanoke
Norfolk
Virginia Beach
Winston-Salem
Nashville
Oak Ridge
Mt. Mitchell
2037
Greensboro
Mississippi
Knoxville
TENNESSEE
Charlotte
NORTH CAROLINA
Raleigh
Kap Hatteras
Chattanooga
Fayetteville
Memphis
Tennessee
Greenville
SOUTH CAROLINA
Huntsville
Wilmington
Waterway
Columbia
MISSISSIPPI
Intracoast
Augusta
ALABAMA
Macon
Océan
Atlantique
Savannah
Jackson
Meridian
Montgomery
GEORGIA
Mobile
Alabama
Jacksonville
Pensacola
Tallahassee
New Orleans
St. Augustine
Daytona Beach
Cape Canaveral
Cocoa Beach
Orlando
St. Petersburg
Tampa
FLORIDA
Golfe du Mexique
Sarasota
Lake Okeechobee
West Palm Beach
GREAT ABACO
GRAND BAHAMA
Fort Lauderdale
Miami Beach
Everglades
Miami
ELEUTHERA
FLORIDA KEYS
Key West
ANDOS ISLAND
Nassau
BAHAMAS

Imaginez que vous ayez un ami à New York, qui a passé des jours et des nuits à arpenter la ville à la recherche de ce qu'il y a de mieux – les curiosités les plus excitantes, les repas les plus savoureux et les affaires les plus folles du monde. Il vous entraîne à travers les rues et les galeries, les clubs et les cafés, vous montre les attractions classiques de Manhattan, ainsi que celles que la plupart des touristes – et des New Yorkais – n'ont jamais vues. Votre guide et ami, John Gattuso, a passé sa vie dans et autour de Manhattan. Il a déjà souvent écrit pour *APA Guides de Poche.*

Cet *APA Guide de Poche* de New York a été conçu pour les voyageurs dynamiques, qui veulent tirer le maximum d'un court séjour dans la « grosse Pomme ». Gattuso commence par un historique de Manhattan, depuis la petite colonie hollandaise jusqu'à la ville la plus influente du monde. Ensuite, accompagnez-le dans trois visites d'une journée, qui vous feront connaître la ville. La première vous emmènera à travers Midtown Manhattan, la deuxième dans les quartiers huppés de Upper East Side et de West Side et la troisième est une véritable immersion dans Downtown, de Battery Park à Greenwich Village.

Les visites guidées vous conduiront à toutes les curiosités les plus célèbres, comme le World Trade Center, Central Park ou encore la cathédrale Saint-Patrick – à quoi il faut ajouter vingt propositions de promenades plus courtes, que vous pourrez combiner selon votre envie et votre humeur, qu'il s'agisse d'une visite au Musée d'Art Moderne, d'une flânerie à travers Soho ou d'une nuit dans les bars et les clubs. Les descriptions de Gattuso sont précises, amusantes et étendues. Il vous fait en outre découvrir les innombrables restaurants de New York et l'univers merveilleux des boutiques et des grands magasins. Vous trouverez des informations pratiques dans la dernière partie de ce guide.

Mais aucun livre ne peut tout dire de New York. Aussi, si vous venez avec l'envie de faire des découvertes, suivez votre flair. N'oubliez pas que les visites proposées par ce livre ne sont que des conseils. L'aventure vous appelle. Laissez-vous séduire par la *Big Apple* !

Welcome ! Bienvenue !

APA Guide de Poche :

NEWYORKCITY

© Version originale : 1992
APA Publications (HK) Ltd.

© Version en langue française : 1992
RV Reise- und Verkehrsverlag GmbH
Berlin / Gütersloh / Leipzig / München / Potsdam / Stuttgart

Tous droits réservés

Ventes:

Editions du Buot, Paris, France

ISBN: 3-575-77952-X

Mise en pages :

GAIA Text, Munich

Impression par :

Höfer Press (Pte) Ltd., Singapour

Reproduction uniquement avec l'autorisation exclusive de l'éditeur

APA GUIDE de poche

New York City

Auteur **John Gattuso**
Editeur **Hans Höfer**
Directeur artistique **V. Barl**
Maquette **Karen Holsington**
Rédacteur en chef **Joachim Beust**
Photographie **Bill Wassman**
Traduction **Image Editions**

APA GUIDE
de poche

CLARIDGE
NYC.TAXI
4L86
83

Table des matières

Cartes

Editorial

C'est ma grand-mère qui, pour la toute première fois, m'a emmené à New York, alors que je n'étais encore qu'un petit garçon. Quelquefois, j'allais assister avec elle à un show au Radio City Hall, ou bien nous allions voir les dinosaures au Musée d'Histoire Naturelle. Mais le point culminant de la journée était le déjeuner à *l'Automat* dans la 42ème rue, où nous attendaient des sandwiches et des gâteaux collants derrière les vitrines étroites de la boutique. Avant la victoire foudroyante des Big Mac, c'est là la plus rapide de toutes les restaurations rapides. Grand-Mère me tenait si fermement par la main que je devais courir derrière elle pour la suivre. C'est ainsi que j'adoptai très tôt l'allure de New York : rapide et déterminée. J'étais heureux qu'elle me tienne si bien, car New York, avec son impatience et sa frénésie, me faisait peur. Tout semblait démesurément vivant – le trafic, la foule, les immeubles, les étrangers. C'était l'endroit le plus énervant du monde, où tout était plus grand, plus fort et mieux qu'ailleurs et où la vie semblait plus importante, plus impérieuse.

« New York est unique », disait-elle toujours. « Ici, tu trouves tout, mais aussi tout ce qu'il y a au monde ».

Elle avait alors raison et elle aurait encore raison aujourd'hui. New York est un creuset. Les gens viennent y faire des affaires et de la politique, se rencontrer, acheter, manger et poursuivre leurs rêves. Tous ceux qui pénètrent dans cette ville y laissent une partie d'eux-même, ou bien y restent pour toujours.

Pour ma grand-mère, New York était une sorte de Terre Sainte. Elle était arrivée d'Italie dans les années 20. Comme des millions d'autres émigrants, la Statue de la Liberté fut la première chose qu'elle vit de l'Amérique – puis les longues queues formées par les candidats à l'immigration à Ellis Island. Son père ouvrit une petite boutique d'alimentation dans la 110ème rue à Harlem, où aujourd'hui encore, encerclée par de nouvelles générations d'immigrants espagnols, subsiste

une petite colonie italienne. Les couches culturelles donnent à New York son épaisseur et sa profondeur et font de la ville – surtout Manhattan – un défi permanent. Là où s'entassent tant de cultures, de classes et d'idées, toutes les frontières tombent. C'est une question de pression ! Une ville sous pression et sous tension, voilà New York. C'est aussi ce qui la rend si intéressante. C'est aussi pourquoi les gens y viennent, s'adonnent au chaos, à la dislocation psychotique de la vie des New Yorkais, ne serait-ce que pour quelques jours.

Depuis que ma grand-mère m'a fait découvrir la ville pour la première fois, j'y reviens toujours avec joie. Maintenant, le cercle se referme et quand aujourd'hui je me promène dans New York, je voudrais avoir un compagnon étonné que je traînerais derrière moi. Me voilà à présent de retour à New York et je sais que ma grand-mère avait raison : « New York est unique ».

Plus de 20 millions de gens visitent New York chaque année. C'est la ville la plus visitée du monde.

Pourquoi viennent-ils ? Pourquoi 20 millions de gens abandonnent-ils leur maison de Chicago, Paris, Londres, Berlin, Tokyo ou Rome ?

Parfois la réponse à cette question me parait simple : quand je visite un musée ou quand je flâne dans une galerie de Soho, quand je me promène dans Broadway à travers Upper West Side. Et surtout, quand j'entends les gens dans la rue parler quelquefois trois ou quatre langues différentes, toutes à portée de voix les unes des autres. Alors je sais avec certitude que New York est la ville la plus excitante du monde.

Cela semble peut-être saugrenu, mais à New York, tout peut arriver. La ville est un asile dangereux de l'imprévu, l'expression tangible des forces créatrices du chaos.

Le cœur, c'est naturellement Manhattan. Il n'est pas difficile de comprendre pourquoi. On installe 1,5 million de gens sur une petite île et déjà, les étincelles jaillissent. Si, en plus, on introduit quelques institutions, entreprises, artistes et penseurs très influents, sans compter les immigrants venus de tous les pays, ces étincelles allument alors un feu de joie.

Beaucoup de gens pensent que les jours glorieux de New York sont révolus, ils prétendent que tout va exploser d'un instant à l'autre. Ils ne comprennent pas que New York est née dans les flammes.

Les débuts

Les anthropologues prétendent que tous les peuples ont recours à la mythologie pour se représenter leurs propres débuts. Cela convient très bien au mythe de la fondation de New York : la ville ne serait pas une émanation divine, elle serait née d'une transaction commerciale – d'une escroquerie pour être objectif : en 1626, le Hollandais Peter Minnewit acheta l'île aux Indiens pour environ 40 dollars. Aujourd'hui, pour 40 dollars, on achète en tout et pour tout 1 cm^2 d'espace de bureau à Downtown Manhattan.

Les Hollandais arrivèrent en 1609 dans la région du New York actuel. Henry Hudson, Anglais de naissance et qui agissait pour le comp-

te d'une compagnie marchande hollandaise, dut chercher le passage légendaire du nord-ouest vers les riches marchés aux épices des Indiens. Avec ce raccourci, Hudson remporta non seulement beaucoup de succès, mais il accéda aux immenses forêts. Les fourrures des Indiens l'intéressaient tout particulièrement. Dans un pays froid comme la Hollande, les fourrures représentaient beaucoup d'argent et les Indiens étaient prêts à faire du commerce.

Les patrons de Hudson – a priori pas très bien informés – furent peu impressionnés. Mais quand la nouvelle de sa découverte se répandit, beaucoup de marchands indépendants se mirent en route pour le Nouveau Monde en rêvant de ses richesses. En 1621, la Compagnie Hollandaise des Indes Occidentales se réserva l'exclusivité des droits commerciaux sur l'ensemble de la Nouvelle Hollande. Pour asseoir ses prétentions, la compagnie installa des comptoirs tout au long de la côte et des cours d'eau à l'intérieur du pays. Une de ces colonies – peuplée de fuyards protestants que l'on appela Wallons – s'installa à la pointe sud de Manhattan, qui prit le nom de Nouvelle Amsterdam.

Pour dire les choses prudemment, la vie dans la colonie hollandaise était mouvementée. Des combats avec les Indiens, des révoltes d'es-

claves et les habituelles rixes d'alcooliques laissèrent derrière eux des traces sanglantes. Un gouverneur unijambiste et despotique du nom de Peter Stuyvesant voulut apprendre la politesse aux colons récalcitrants, mais sa dictature de fer ne dura pas longtemps. Depuis des années, les Anglais s'étaient bien implantés dans la province hollandaise et ils purent contraindre Stuyvesant à abandonner les comptoirs. Les Anglais baptisèrent la ville New York, en l'honneur du duc d'York, frère du roi. Environ dix ans plus tard, les Hollandais s'en emparèrent à nouveau, mais un rapide arrangement autour d'un tapis vert laissa la ville aux mains des Anglais.

Malheureusement, la domination anglaise ne fut pas plus réussie et aux environs de 1760, l'aversion contre le roi George parvint à son paroxysme. Quand la mère-patrie voulut prélever des impôts dans les colonies, les bourgeois excédés s'unirent sous la bannière des Fils de la Liberté et tinrent en haleine les soldats britanniques avec des provocations et des petites escarmouches. En 1770, l'opposition atteignit son point culminant dans la bataille dite de Golden Hill, qui fit un mort et plusieurs blessés. Le massacre de Boston, signal de la révolte générale, s'ensuivit.

New York fut paralysée par la guerre révolutionnaire. Malgré toutes les tentatives défensives du général George Washington, les Britanniques s'emparèrent de la ville. Quatre mille soldats moururent dans trois batailles. Les Britanniques entamèrent sept ans de domination brutale, pendant que des centaines d'Américains mouraient de faim dans des prisons provisoires.

En 1785, Washington revint à New York, cette fois pour célébrer sa victoire et révoquer ses officiers. S'il n'avait tenu qu'à lui, il aurait aimé se retirer en Virginie. Mais quatre ans plus tard, il retourna à New York, avec sa bible, pour prêter serment en tant que Président. Pendant toute une année, New York fut la capitale des USA.

Le canal Erié et la guerre de Sécession

En 1825, le canal Erié fut percé, reliant ainsi New York aux grands lacs et aux immenses marchés du Middle West. Etant donné le prix bon marché du travail d'un immigrant, New York devint le générateur de l'industrie. Les affaires connurent un véritable boum, les artistes proliférèrent et les comptes en banque s'étoffèrent.

Pour les immigrants – en majeure partie des Allemands et des Irlandais – qui faisaient tout le sale travail, ce fut une époque de luttes et de frustrations. La guerre de Sécession éclata et beaucoup d'immigrants répondirent volontairement à l'appel du Président Lincoln. Mais comme une loi autorisait les hommes riches à payer pour ne pas servir dans l'armée, les pauvres de New York ne purent en tolérer davantage. Pendant trois jours, des gangs semèrent la panique dans les rues de la ville, attaquant des policiers, incendiant des bâtiments et allant même jusqu'à lyncher des gens de couleur. Les « Draftriots » de 1863 firent 1500 morts et deux millions de dollars de dégâts. La guerre civile s'acheva deux ans plus tard et quelques mois après, on exposait le catafalque de Lincoln au New York City Hall.

La Bourse de New York

Le grand boum

Après la guerre de Sécession, le flot des immigrants prit une nouvelle ampleur et, la population de New York atteignait en 1900 déjà trois millions d'habitants – la plus grande ville du monde. Beaucoup de régions du pays étant en ruine, New York saisit sa chance de richesse et de pouvoir. Les Vanderbilt, les Morgan, les Rockefeller et autres Astor amassèrent des millions. Les célèbres « 400 » – la haute société – construisirent d'énormes palais, donnèrent des fêtes somptueuses et pillèrent l'Europe de ses œuvres d'art.

A Downtown cependant, la misère régnait. Deux mille immigrants affluaient quotidiennement dans les bureaux de l'immigration à Ellis Island, se serraient dans des casernes locatives et des usines. En 1911, l'incendie de la *Triangle Shirtwaist Company* fit 146 morts. Un évènement tragique, qui révéla enfin à l'opinion publique les conditions épouvantables dans lesquelles les immigrants devaient vivre et travailler. Résultat de la catastrophe : les premières lois de protection contre l'incendie.

La ville fut d'abord dirigée par Tammany Hall, auquel succéda William Marcy Tweed. Le « boss » de mauvaise réputation et corrompu fit de son mieux, avec ses acolytes, pour vider les caisses de la ville – 150 millions de dollars en l'espace de dix ans. Par un beau matin, le gang Tweed engrangea 5,5 millions de dollars en pots-de-vin. Ironie du sort, l'argent provenait d'un contrat pour le palais de justice municipal (alias justice de Tweed), juste derrière l'hôtel de ville. Les journaux découvrirent enfin les agissements de Tweed et le boss finit ses jours en prison.

De Walker à LaGuardia

La Première Guerre Mondiale n'a pas laissé de traces particulières dans la ville. Les affaires continuèrent à prospérer, la ville à grandir et l'entre-deux guerres vit la naissance d'un nouvel âge d'or. En 1925, James Walker devint maire. Walker, jouisseur prompt à la répartie, fut la parfaite incarnation du « Jazz Age » : un joueur aimé des femmes, peu regardant dans ses fréquentations avec les milieux de l'argent et de la prohibition. Lorsqu'il augmenta ses honoraires de 10 000 $, des voix s'élevèrent pour critiquer ce gaspillage incontrôlé. La réponse du maire est devenue un classique « Jimmy Walker » par excellence : « Imaginez un peu ce que je vous coûterais si je travaillais à plein temps »; en 1929, la bonne étoile et les jours fastes de Jimmy Walker sombrèrent avec la Bourse. La grande dépression frappa durement New York et Jimmy Walker ne fut pas épargné. Le parfum de la corruption envahit les journaux et Walker dut se mettre à l'abri. En 1932, il se désista devant les menaces de scandale.

Environ un an plus tard, un nouveau maire s'installa à l'hôtel de ville. C'était un petit homme trapu, à qui manquait la finesse de Walker. Mais pour une ville rongée par la dépression, il était le chevalier sans peur et sans reproche en qui seuls les optimistes irréductibles avaient cru. Fiorello (petite fleur) LaGuardia se rallia immédiatement au programme « New Deal » de Franklin Roosevelt, qui fut à l'origine des subventions massives et de nouveaux projets de constructions pour relancer l'économie. L'administration l'empêcha de s'endormir. Ponts, parcs et bâtiments sortirent de terre, artistes et écrivains trouvèrent du travail. Dans le même temps, des investisseurs privés placèrent de grosses sommes dans l'industrie du bâtiment. Le Chrysler Building fut achevé en 1930, l'Empire State Building en 1931 et le Rockefeller Center en 1932.

En 1941, les USA entrèrent dans la Seconde Guerre Mondiale et la ville participa largement aux efforts de guerre. Dans la cave d'un laboratoire de physique de l'université de Columbia, des savants firent des expériences sur la fission nucléaire. Ils accomplirent le travail préparatoire au développement de la bombe atomique, mieux connu sous le nom de code de « Manhattan Project ».

Central Park

Au bord de la ruine

Lorsqu'en 1947 les Nations Unies installèrent leur siège à New York, la ville se trouvait en proie au vertige de possibilités illimitées. La paix, une économie saine, les progrès technologiques – tout semblait possible. Mais comme dans beaucoup d'autres états du nord-est, les années de l'après-guerre apportèrent un déclin inattendu.

La classe moyenne s'exila en banlieue, de grandes entreprises installèrent leurs bureaux en dehors de la ville, de pauvres Afro-américains et Latinos élurent domicile dans la ville abandonnée. Les recettes fiscales diminuèrent en proportion égale à l'augmentation des dépenses sociales. Les robinets de l'argent ne coulaient plus que'au goutte à goutte et en 1975, la ville se retrouva au bord de la faillite.

En 1976, Edward Koch devint maire. Il lança une campagne contre l'endettement massif de la municipalité. Les entreprises reprirent confiance en New York et réinjectèrent des capitaux. La ville commença à remonter lentement la pente.

Aujourd'hui, New York suit une allure régulière mais tout de même problématique. En 1989, David Dinkins, un Noir, a été élu maire et la ville connaît de nouveaux changements.

Mais il y a des choses immuables dans la vie trépidante de New York : les musées et les galeries mondialement renommées, le choix fantastique en restaurants, grands magasins et boutiques, les chefs-d'œuvre grandioses de l'architecture, les divertissements à couper le souffle, les hommes venus du monde entier, les « business deals » qui bousculent l'univers financier, les scènes bizarres de la rue et la vie intense.

Bref, cette ville vit et change, s'excite et se bat, s'amuse et vainc.

Les dix commandements du New Yorkais

A New York, on entend parler toutes les langues, on voit toutes sortes de tenues et de personnages bizarres. Pourtant, rien n'est plus surprenant qu'un non-New Yorkais. Les New Yorkais considèrent l'étranger comme une tête de Turc. Parfois, ils lui offrent un conseil avisé et parfois, ils lui fauchent son porte-monnaie. Voici les dix règles que vous devez savoir :

1. Un vrai New Yorkais ne reste **jamais** au milieu du trottoir pour regarder un gratte-ciel. Il ne lève **jamais** les yeux au-dessus du 2ème étage.
2. Un vrai New Yorkais connaît la Sixième Avenue, mais **en aucun cas** l'Avenue of the Americas, dont c'est pourtant le véritable nom.
3. Un vrai New Yorkais connaît la Septième Avenue, **jamais** Fashion Avenue.
4. A propos de New York, il dira « Je vais en ville ». Un vrai New Yorkais ne demande **jamais** « quelle ville ? »
5. Un vrai New Yorkais ne se tient pas au coin de la 34ème Rue et de la Cinquième Avenue pour demander où se trouve l'Empire State Building.
6. Un vrai New Yorkais ne dit **jamais** « Greenwitch Village » ni « Youston (Houston) Street », mais « Grenitch » et « Hauston ».
7. Un vrai New Yorkais ne met **jamais** son porte-monnaie dans sa poche révolver.
8. Un vrai New Yorkais ne court **jamais** quand les feux passent au vert, il attend qu'ils passent au rouge. « Walk » et « Do not walk » sont seulement des recommandations.
9. Un vrai New Yorkais ne dit **jamais** « nord » ou « sud », mais Uptown et Downtown.
10. Un vrai New Yorkais ne rit **jamais** quand il prend le métro.

Tableau chronologique

Aux environs de l'an 1000 : Les indiens Algonquins installent leurs camps d'été sur l'île de Manhattan riche en poisson et en gibier.

1524 : Giovanni da Verrazano, au service de François 1er, fait le tour à voile de Manhattan mais ne peut débarquer.

1609 : Henry Hudson, commandité par la Compagnie Hollandaise des Indes occidentales, navigue à la recherche du passage nord-ouest de l'Hudson.

1624 : La Compagnie Hollandaise des Indes occidentales installe une colonie à la pointe sud de Manhattan, à l'emplacement actuel de Battery Park.

1626 : Le gouverneur hollandais Peter Minnewit achète Manhattan aux Indiens pour environ 40 dollars.

1643 : Au cours des combats avec les tribus algonquines, environ 80 Indiens furent tués lors du massacre de Pavonia. Plusieurs centaines d'autres moururent les années suivantes.

1647 : Peter Stuyvesant devient Gouverneur de la Nouvelle Hollande.

1653 : Le long de l'actuelle Wall Street, Stuyvesant fait construire des fortifications, pour protéger la Nouvelle Amsterdam des attaques des Britanniques.

1664 : Stuyvesant cède la Nouvelle Amsterdam, sans combattre, aux Britanniques. Les Anglais rebaptisent la ville New York, en l'honneur de James, duc d'York, frère du roi Charles 1er.

1673 : Les Hollandais reprennent New York et la baptisent « Nouvelle Orange ».

1674 : Le traité de Westminster met fin aux hostilités anglo-hollandaises. Les Anglais reprennent possession de New York.

1689 : Le marchand new yorkais James Leisler conduit une révolte contre les Britanniques et est pendu pour haute trahison.

1712 : Des esclaves incendient Maiden Lane, espérant ainsi déclencher une révolution. Neuf Blancs périssent, six esclaves se suicident, vingt et un autres sont pendus.

1735 : L'éditeur Johann Peter Zenger passe en justice pour diffamation contre la couronne d'Angleterre. Il est acquitté : un précédent pour la liberté de la presse.

1765 : Les Anglais lèvent un impôt illégal sur le sucre, les marchandises importées et sur certains papiers.

1770 : Des escarmouches entre les « Fils de la Liberté » et les soldats anglais provoquent la bataille de Golden Hill.

1776 : Début de la guerre d'indépendance. Washington abandonne la ville au général William Howe. Les Anglais occupent la ville.

1789 : George Washington devient le premier Président des Etats-Unis d'Amérique. La cérémonie se déroule sur l'emplacement de l'actuel Federal Hall dans Wall Street. Jusqu'en 1790, New York demeure capitale de l'Union.

1792 : Ouverture de la première bourse, rudimentaire, de New York.

1825 : Percement du canal Erié, qui ouvre aux marchands new yorkais des voies de transport directes vers les nouveaux marchés du Middle West.

1830 : Les premières vagues d'immigrants irlandais et allemands déferlent sur New York. Immigration massive jusque bien au-delà de 1850.

1835 : Le « Grand Incendie » détruit une grande partie du sud de Manhattan.

1875 : William Macy « Boss » Tweed est élu au Conseil Municipal. Une carrière scandaleuse de 14 ans commence.

1858 : Construction de Central Park, d'après les plans de Frédéric Law Olmsted.

1861 : Début de la guerre de Sécession.

1863 : Pendant trois jours, les « Draft Riots » secouent la ville. Il y a 1 500 morts.

1865 : Italiens, Juifs d'Europe de l'Est et Chinois débarquent en foule, sans discontinuer.

1871 : Le « Boss » Tweed est arrêté. Il meurt en prison.

1877 : Ouverture du Musée d'Histoire Naturelle.

1880 : Inauguration du Musée d'Art Moderne.

1886 : Lors de grandes festivités, installation de la Statue de la Liberté sur Liberty Island.

Rockefeller Center

1888 : Le Grand Blizzard ensevelit la ville sous des mètres de neige.
1891 : Tchaïkovski dirige le concert d'inauguration du Carnegie Hall.
1892 : Un contrôle de l'immigration est mis en place sur Ellis Island.
1898 : Les cinq districts de New York (Kings, Queens, Brooklyn, Bronx, Staten Island) sont placés sous l'administration de la ville.
1911 : Le tragique incendie de la Triangle Shirt Waist Company révèle les conditions de vie et de travail épouvantables des immigrants.
1929 : Effondrement de la Bourse à Wall Street. Début de la Grande Dépression.
1931 : Achèvement de l'Empire State Building.
1932 : James Walker, maire scandaleux et encombrant, démissionne.
1932 : Fiorello LaGuardia lui succède.
1941 : Entrée des Etats-Unis dans la Seconde Guerre Mondiale.
1952 : Les Nations Unies s'installent dans leur immeuble de la 42ème Rue.
1959 : Début des travaux de construction du Lincoln Center.
1966 : Entreprise de la construction du World Trade Center.
1975 : New York est sauvée de la faillite grâce au gouvernement de l'Etat, aux banques et aux syndicats.
1978 : Edward Koch devient maire de la ville.
1982 : Achèvement de l'IBM Building, puis, en 1983, de l'AT & T Building – signes d'un nouveau boum immobilier.
1986 : Inauguration de Battery Park City. Pour son centième anniversaire, la Statue de la Liberté subit un lifting.
1990 : David Dinkins devient le premier maire noir de la ville.

Midtown

Petit déjeuner au Plaza Hotel; tour de Manhattan en bateau; lèche-vitrines à Times Square et sur la Cinquième Avenue; déjeuner à la Trump Tower ou au Hard Rock Cafe; achats dans la 57ème Rue; dîner brésilien au Cabana Carioca et visite nocturne à l'Empire State Building.

Pour votre première journée, vous devez découvrir Manhattan sous trois perspectives différentes : depuis un bateau qui fait le tour de l'île, depuis la rue dans le cœur battant de la ville et depuis le ciel, à 300 mètres au-dessus du sol.

La journée commence en grand style avec un petit déjeuner matinal au **Plaza Hotel.** Votre liasse de billets de banque va certes maigrir un

La ligne de gratte-ciel de Midtown au-dessus de l'Hudson

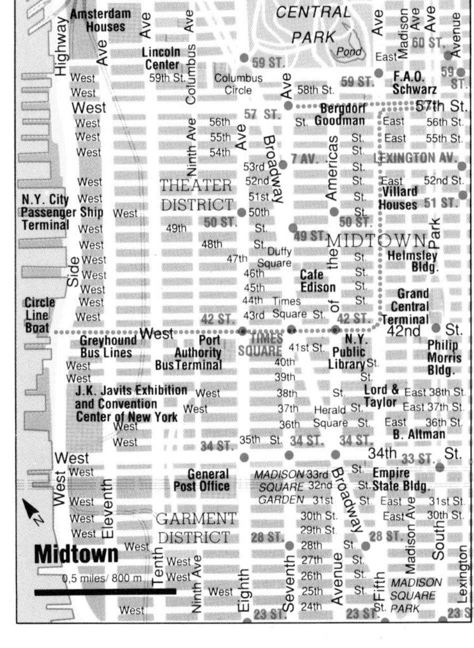

peu, mais vous serez enchantés par l'élégance de bon aloi du Plaza, avec, en arrière-plan, le panorama verdoyant de Central Park. Depuis **l'Edwardian Room,** un salon aux luxueux lambris de chêne, on a une vue magnifique sur le parc – et sur la clientèle extrêmement distinguée. Mark Twain, Frank Lloyd Wright et Eleonore Roosevelt avaient leur suite au Plaza Hotel et aujourd'hui encore, si on a une demi-heure à perdre dans ce temple de la richesse, vous y rencontrerez vraisemblablement une célébrité qui descend d'un pas rapide les larges escaliers, au bas desquels un chauffeur a déjà ouvert la portière de la limousine qui l'attend.

Après le petit déjeuner, prenez un taxi pour **Circle Line,** Quai 83 (West Side Highway et 42ème Rue). La mini-croisière de trois heures, une tradition new yorkaise, présente la géographie complète de Manhattan. Les bateaux partent tous les jours, toutes les 45 minutes de 9 h 30 à 16 h 30. Essayez de prendre le bateau de 10 h 15. Le circuit coûte 16$ par personne, 8$ pour les enfants de moins de 12 ans.

Une fois revenu à terre, rendez-vous au prochain carrefour. Demandez à un taxi de vous emmener jusqu'à **Times Square** en passant par la 42ème Rue. A bonne distance du siège moelleux de la voiture, on découvre le quartier malpropre de la 9ème Avenue, appelé aussi **Hell's Kitchen** (la cuisine de l'enfer) ou le **red-light district** sur la 8ème Avenue, encore un peu exotique. Avant que l'industrie de la pornographie ne s'y installe, cette rue proposait les meilleures pièces de théâtre. Aujourd'hui, les prostituées à la recherche de clients.

Le voyage à travers le premier degré de « l'enfer » new yorkais s'achève au croisement de Broadway et de la Septième Avenue, à l'extrémité sud (downtown) de Times Square, où bat le cœur de néon éblouissant de la ville, à la fois agressif et romantique. Le simple fait de regarder vous administre une petite poussée d'adrénaline. Entre les putains, les prédicateurs et les mendiants, on découvre souvent des musiciens de rue étonnants. Mais attention à des artistes d'un tout autre

Le Broadway vers le Time Square

genre : Times Square est le lieu de prédilection des pick-pockets et des petits voleurs à la tire, ou *mugger*. Les recommandations les plus importantes : pas d'argent dans la poche revolver, bien tenir son sac à main, pas de bijoux visibles et pas de fuite dans les rues latérales sombres.

Suivez la 42ème Rue. De l'autre côté de la **Sixième Avenue,** le spectacle est manifestement plus civilisé. Avant **Bryant Park,** les commerçants vendent des bijoux et des T-shirts et sur la **Cinquième Avenue,** tous les jours à midi, des millions de secrétaires jaillissent des bureaux. A cette hauteur, la Cinquième Avenue ne présente pas grand intérêt, car les élégants palais des Vanderbilt et des Astor durent s'incliner devant des centaines de magasins à quatre sous.

La grande exception est la **New York Public Library,** au coin de la Cinquième Avenue et de la 42ème Rue. Le magnifique bâtiment classique de 1911 abrite l'une des meilleure bibliothèques scientifique du monde. Employés de bureau, fainéants et touristes aux pieds douloureux bronzent sur les larges marches du perron, sous le regard attentif des deux lions de marbre, *Patience* et *Persévérance*.

Suivez la Cinquième Avenue en direction de *Uptown* (on s'y reconnaît au numéros ascendants). Elle n'est pas très intéressante à cet endroit, mais des trésors se cachent dans quelques-unes des rues adjacentes. Ainsi par exemple sur la gauche, dans la **44ème Rue Ouest,** où *les old boys* (et aussi *les old girls*) se retrouvent pour déjeuner derrière la façade néo-géorgienne du très sélect et académique **Harvard Club** – tout à côté de l'immeuble style « Beaux Arts » français du **New York Yachtclub.** Quelques pas plus loin se trouve le vénérable **Algonquin Hotel** où, dans les années 30, l'élite littéraire se rassemblait autour des célèbres tables rondes.

Un peu plus loin en remontant la Cinquième Avenue, la **47ème Rue Ouest** conduit à gauche dans le **quartier des diamantaires,** où tous les jours des

Rhapsodie in blue

pierres précieuses pour une valeur de 500 millions de dollars sont vendues. Beaucoup de marchands sont des Juifs hassidiques, reconnaissables à leurs costumes noirs, leurs chapeaux larges et plats, leurs longues barbes et leurs cheveux bouclés. Au **Gotham Book Market** (41 West, 47ème Rue), les amateurs de livres peuvent marcher sur les traces d'Eugène O'Neill, de Tennessee Williams et Saul Bellows. Il y a deux autres librairies au coin de la Cinquième Avenue et de la 48ème Rue : **Brentano's,** dans un élégant immeuble noir et or et tout à côté, **Barnes & Nobles,** qui fait beaucoup de promotions.

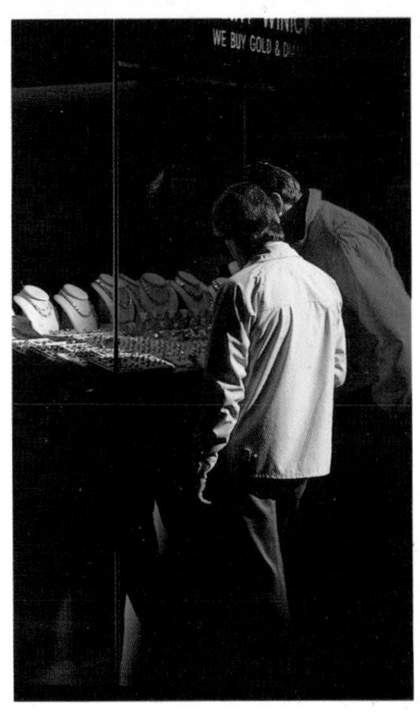

Diamants dans la 47ème Rue

Au niveau de la **49ème Rue,** la Cinquième Avenue commence lentement à justifier sa réputation légendaire. Le **Rockefeller Center,** le plus grand complexe privé au monde de bureaux et de distractions, est un triomphe de l'architecture art déco. Par les **Channel Gardens** – en-

Noël au Rockefeller Center

tre la Maison Française sur la gauche et le British Building sur la droite – on arrive à la place, totalement dominée par le massif **GE-Building** (autrefois celui de la RCA). La place qui s'étend en contrebas du niveau de la rue sert de restaurant en été et de patinoire en hiver. La statue dorée de Prométhée est l'œuvre de Paul Manship.

De retour dans la Cinquième Avenue, on découvre les élégantes vitrines de **SAK'S FIFTH AVENUE,** un grand magasin, véritable institution new yorkaise. A l'angle suivant, l'immense Atlas de Lee Lawries surveille l'entrée de l'International Building. La statue de bronze haute de 8 mètres du héros mythologique grec est cependant réduite à des dimensions lilliputiennes par la proximité de la **cathédrale** catholique **Saint-Patrick.** Lorsque la cathédrale fut construite en 1879,elle se trouvait dans la banlieue, car New York finissait à la 42ème Rue. Aujourd'hui, c'est l'emblème de Midtown Manhattan, dont la façade néogothique richement ornementée forme un étonnant contraste avec celle, de verre et d'acier étincelants, des immeubles modernes alentour.

De l'autre côté de Saint-Patrick, c'est le royaume du dieu Mammon. Les super-riches (et ceux qui voudraient bien l'être) se rencontrent chez Cartier, Fortunoff, Bijan et Gucci, pour connaître quelques-uns des noms extrêmement compétents qui prêtent leur « glamour » à ce coin. Pour ne pas rester sur l'impression que l'argent rend stupide, il y a aussi deux librairies, **B. Dalton** (666 Cinquième Avenue) et **Doubleday** (673 Cinquième Avenue). La façade richement décorée de **l'église Saint-Thomas** domine l'agitation de la 53ème Rue. Si on s'intéresse à l'art religieux, il ne faut en aucun cas manquer le sanctuaire de l'église. En haut de la 56ème Rue, le cristal brille de tous ses feux dans la vitrine de **Steuben Glas.** La librairie Doubleday (724 Cinquième Avenue) propose, sur deux étages, un choix étonnant d'ouvrages de toutes sortes.

Nid de résistance sur la Cinquième Avenue – c'est au moins ce que prétend son propriétaire (pour combien de temps encore ?) – la **Trump Tower** au coin de la 57ème Rue. Le temple de marbre rouge avec ses quatre restaurants, ses 25 boutiques et ses 300 appartements luxueux est un péché très onéreux – pour peu que l'on ait une âme un peu faible. Mais il faut bien accorder à Donald Trump que la cascade haute de cinq étages, les terrasses en angle et les portiers sont très impressionnants. Les prix sont meurtriers, mais on s'y attendait. Comme on peut malgré tout s'offrir du lèche-vitrines, il ne faut surtout pas manquer l'étalage de **Saity Jewelry.** La collection d'art américain et indien est digne d'un musée.

L'exploration de la Trump Tower vous a certainement ouvert l'appétit et de toute façon, il est largement l'heure de déjeuner. Le **Terrace 5,** un café chic au 5ème étage de la Trump Tower offre, en plus d'un repas, une vue magnifique sur Midtown Manhattan. Si on n'a pas encore très faim, on peut continuer jusqu'à la 57ème Rue, où se trouve la plus forte concentration de boutiques et de galeries de New York.

La cathédrale Saint-Patrick

La **57ème Rue Est** est le fief de Tiffany. Une fois que l'on a admiré les bijoux et les cristaux, on poursuit son chemin chez **Bonwit Teller** (4 Est 57ème Rue), **Giorgio** (47 Est 57ème Rue) et **Louis Vuitton** (51 Est 57ème Rue). Les excentriques de la mode continuent encore deux rues plus loin, vers **Park Avenue,** jusque chez **Hermès** (11 Est, 57ème Rue), **Chanel** (9 Ouest 57ème Rue) et **Ann Taylor** (3 Est 57ème Rue).

De l'autre côté de la Cinquième Avenue commence la 57ème Rue Ouest. C'est ici que se trouve **Van Cleef & Arpels,** le concurrent de Tiffany. Les yuppies apprécient **Sharper Image,** un magasin de jouets pour adultes, où on aura du mal à se décider entre un overcraft pour

deux personnes et une véritable armure de chevalier. **Henri Bendel** (10 Ouest 57ème Rue), le tailleur des ultra-chics s'est certes retiré dans la Cinquième Avenue, mais une des nombreuses boutiques de bric-à-brac a ouvert ses portes. Mais la plus belle de toutes est et reste la librairie **Rizzoli** (31 Ouest 57ème Rue), une magnifique demeure lambrissée avec un choix de musique et de littérature internationales.

Le dernier passage obligé dans la 57ème Rue Ouest est le **Carnegie Hall,** à l'angle de la Septième Avenue et dont l'architecture est un peu moins impressionnante que sa renommée. Depuis que l'industriel Andrew Carnegie a réussi à engager Tchaïkovski pour le concert d'inauguration en 1891, les plus grands artistes du monde s'y sont produits.

Si on a faim maintenant, on peut aller au **Hard Rock Café** (221 Ouest 57ème Rue). L'arrière de la cadillac au-dessus de la porte se voit de loin. Il est plus connu pour son ambiance kitsch que pour sa cuisine, mais les repas sont convenables. Si on a commandé le gigantesque *club sandwich*, on n'aura plus faim pendant une semaine. A l'angle de Broadway et de la 57ème Rue se trouve **Coliseum Books** (1771 Broadway), avec un choix énorme de livres de poches.

Il ne faut pas manquer le **Russian Tea Room** (150 Ouest, 57ème Rue, à côté du Carnegie Hall). Il a été fondé par d'anciens membres du corps de ballet russe. De la cave au grenier, c'est le royaume du

Une ville qui ne dort jamais

showbiz. On raconte qu'ici au dessus d'un bol de caviar, on a signé davantage de contrats cinématographiques que dans le cabinet d'un avocat.

Après le déjeuner, vous pouvez aller explorer les galeries de la 57ème Rue et la Cinquième Avenue. La plupart sont installées à l'étage. Certaines ne montrent leurs trésors que sur rendez-vous, d'autres sont ouvertes au public, comme **Kennedy & Marlborough** (40 Ouest 57ème Rue), **Gallery 84, Carlo Lamagna** et **Frumkins/Adams** (tous au 50 Ouest 57ème Rue). D'autres galeries, comme par exemple **Robert Miller** et **Pierre Matisse,** sont rassemblées au 41 Est 57ème Rue, entre Park Avenue et Madison Avenue. La **Pace Gallery** se trouve tout à côté, au n° 32. Après une sieste à l'hôtel, vous pourrez vous plonger, bien reposé, dans la vie nocturne, qui commence par un dîner aux environs de 21 h. Les réservations sont, comme toujours, indispensables. Si vous avez encore faim de haute société, vous trouverez au **PALIO** (151 Ouest 51ème Rue) ou au **FOUR SEASONS** (99 Est 52ème Rue) la compagnie recherchée, une excellente cuisine – et des prix tout aussi excellents : il faut compter entre 75 et 100$ par personne. Au brésilien **CABANA CARIOCA,** c'est décontracté et plus détendu. Les plats sont très pimentés, l'ambiance vivante et les prix abordables.

Mais le meilleur est encore à venir ! Prenez un taxi jusqu'à **l'Empire State Building** (Cinquième Avenue et 34ème Rue) puis l'ascenseur jusqu'à la plate forme panoramique du 86ème étage. New York la nuit depuis l'Empire State Building, c'est tout simplement indescriptible (la caisse ferme aux environs de 23 h 30).

Uptown

Petit déjeuner à Upper East Side; visite du musée Guggenheim et d'une galerie sur Madison Avenue jusqu'au Lincoln Center; dîner à Upper West Side, suivi d'une promenade en calèche dans Central Park.

Uptown désigne la zone comprise entre la 59ème et la 86ème Rue, avec, au milieu, **Central Park,** une oasis de 340 hectares

Aiguille de Cléopâtre à Central Park

Mode sur Madison Avenue

avec des lacs et des prés qui, pour beaucoup de New Yorkais, est en quelque sorte « l'œil du cyclone ».

Les quartiers de la ville à droite et à gauche de Central Park sont comme des jumeaux que l'on aurait séparé peu après leur naissance : ils se ressemblent, mais évoluent différemment. **Upper East Side** est tout entier placé sous le signe de l'argent. C'est ici qu'habitent ceux qui ont plus qu'une bonne situation, ceux qui ont manifestement réussi et qui s'adonnent au luxe avec délectation. Par contre, à **Upper West Side,** on ne cesse de se battre : pour beaucoup, c'est un combat pour survivre, tandis que d'autres se battent pour une deuxième BMW. A côté des quartiers riches de West Side, comme par exemple les magnifiques appartements sur **Central Park Ouest,** il y a les quartiers pauvres. Partout dans le centre, la classe de la *urban gentry*, « les gentilshommes de la ville », mieux connus sous le nom de yuppies, essayent de se frayer un chemin à coup de coude dans la classe supérieure.

La visite de Uptown commence par un petit déjeuner au **SARABETH'S KITCHEN** (1295 Madison Avenue, à côté de la 93ème Rue Est), un petit café accueillant de Upper East Side, où il y a suffisamment de place pour que l'on puisse y lire son journal. Comme vous allez encore beaucoup marcher, profitez du petit déjeuner et emportez peut-être quelques muffins pour la route.

Par la 95ème Rue, vous arrivez à la Cinquième Avenue. C'est ici que commence le **Museum Mile** qui longe 35 blocs d'immeubles en bordant Central Park et sur lequel on trouve quelques-uns des plus célèbres musées de New York. Downtown, donc à gauche, vous passez d'abord devant l'International Center of Photography (1130 Cinquième Avenue), le Jewish Museum (Cinquième Avenue et 92ème Rue). Ce sont tous de respectables institutions, mais pour la première fois, nous allons les laisser sur notre gauche et nous tourner vers le musée **Guggenheim.** Ce bâtiment blanc en forme de

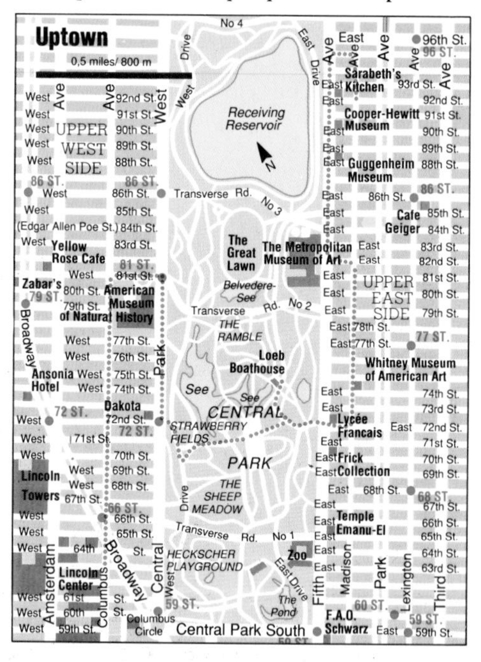

Le Guggenheim Museum

spirale à l'angle de la Cinquième Avenue et de la 88ème Rue est, depuis son achèvement en 1959, l'objet de discussions les plus véhémentes. Pour beaucoup, c'est un brouillon de Frank Lloyd Wright, auquel il a malgré tout consacré quelque seize années, d'autres prétendent que c'est une honte, un garage plutôt qu'un musée, totalement déplacé à côté des palais superbes qui caractérisent Upper East Side.

De quelque côté que vous vous rangiez, prenez d'abord l'ascenseur pour étages supérieurs et promenez-vous lentement dans les spirales en redescendant. A côté des expositions temporaires, vous trouverez parmi les expositions permanentes des œuvres de Renoir, Chagall, Degas, Van Gogh, Toulouse-Lautrec, Gauguin, Kandinsky, Klee et Picasso. Le musée Guggenheim est ouvert du mardi au dimanche à partir de 11 heures, l'entrée est libre le mardi à partir de 17 heures, c'est fermé le lundi. Entrée 4,50 dollars.

Quelques mètres plus loin vers le sud, à l'angle de la Cinquième Avenue et de la 82ème Rue est situé l'immense bâtiment du **Metropolitan Museum of Art,** un géant néo-gothique de 1874, aujourd'hui le plus grand musée des USA. Le Met possède tout, des momies égyptiennes à l'art américain contemporain, en passant par un jardin chinois.

Ensuite, à gauche dans la 82ème Rue, puis à droite dans **Madison Avenue.** On respire ici le parfum de la consommation. Entre la 70ème et la 80ème Rue, c'est encore relativement anodin par rapport aux années 60, mais il y a toujours bien assez de boutiques et de galeries dévoreuses de cartes de crédit.

Voici encore quelques galeries phares entre la 82ème et la 74ème Rue : La **San Francisco Ship Model Gallery** (1089 Madison Avenue, maquettes de bateaux reproduits dans leurs moindres détails), **Espiritu** (1070 Madison Avenue, art traditionnel du Tiers monde),

Collection Rockefeller d'art primitif au Metropolitan Museum

Eduard Nakhamkin (1055 Madison Avenue, art russe contemporain), **Jay Johnson Inc.** (art populaire américain), ainsi que quelques autres galeries spécialisées dans l'art européen et américain contemporain. **Time Will Tell** (962 Madison Avenue), l'Eldorado pour les amateurs de montres classiques, **Givenchy for Women** (sans commentaire), **Books & Co.**, de la nourriture spirituelle pour tous.

Ne pas négliger le **Whitney Museum of American Art** (945 Est 75ème Rue). La construction en béton, d'une forme unique en son genre, sorte de pyramide tronquée et inversée, est en elle-même une œuvre d'art, tout comme les objets qu'elle abrite. La faim se fait probablement déjà sentir.

Si le temps est convenable, il faut éviter les restaurants chics de Madison Avenue et se décider pour un « Deli » à emporter, que l'on achète dans la rue. Sont conseillés : **E.A.T. To go** sur Madison Avenue entre la 82ème Rue ou bien, si vous avez encore suffisamment de force pour une petite promenade, le **Grace's Marketplace** sur la Troisième Avenue (1237 Third Avenue, à côté de la 72ème Rue), une gigantesque épicerie fine, très bien achalandée, avec des gourmandises à emporter.

Fontaine de Bethesda à Central Park

Le précieux fardeau bien enveloppé doit encore survivre au trajet jusqu'à **Central Park** (entrée par la 72ème Rue). Le premier chemin à droite conduit au lac du Conservatory Pond. Si vous ne le trouvez pas, n'ayez pas peur de vous adresser à un promeneur. Les New Yorkais peuvent parfois être rudes, mais ils donnent volontiers des renseignements.

Consacrez deux ou trois heures au parc. Après le déjeuner, vous avez peut-être encore assez d'énergie pour un tour en bicyclette (location à la Loeb Boathouse) ou pour une petite promenade en bateau sur le lac. Le parc a mauvaise réputation et pourtant, il n'est pas dangereux pendant la journée. Faites quand même attention ! Eviter tous les coins déserts ou boisés et ne vous promenez pas seul. La nuit, le parc est absolument interdit. Exception : un concert ou une manifestation. Mais là aussi, restez toujours dans la foule.

A proximité de la sortie sur la 72ème Rue Ouest, se trouve **Strawberry Fields,** petite place paisible consacrée à **John Lennon,** qui habitait un appartement au Dakota tout proche. Le Dakota est l'immeu-

La Ville rencontre la nature

ble d'habitation le plus majestueux de Central Park Ouest. Lorsqu'il fut construit en 1884, il était si loin du centre ville que les New Yorkais disaient en plaisantant que l'on aurait aussi bien pu se retirer dans l'état du Dakota. Lorsque la ville dépassa la 72ème Rue dans son expansion, le Dakota, resta l'étalon sur lequel on mesura tous les autres immeubles d'habitation.

A gauche du Dakota, entre la 71ème et la 72ème Rue, se trouvent les appartements du Majestic et entre la 74ème et la 75ème Rue, ceux du San Remo, tout aussi luxueux. Dans la 74ème, 75ème et 76ème Rue, presque à l'angle de Central Park Ouest, sont situés quelques exemples typiques des *brownstones* new yorkais, des maisons habitées par une ou deux familles. Au nord de l'obscure New York Historical Society sur Central Park Ouest, se trouve l'**American Museum of Natural History,** le museum d'histoire naturelle. Le complexe massif occupe quatre blocs, comprend 19 bâtiments et contient 34 millions d'objets. Il faut plusieurs heures pour n'en n'avoir qu'un bref aperçu, c'est pourquoi nous nous contenterons pour l'instant de jeter un coup d'œil sur la façade. Prévoyez quand même d'emporter quelque chose à grignoter en cours de route !

La 81ème Rue mène directement à **Columbus Avenue.** Tout comme Madison Avenue, Columbus Avenue est consacrée à cet art noble qui consiste à acheter. Cependant, on ne s'y sent pas saturé comme dans l'East Side. Ici aussi, on pourrait remplir des annuaires téléphoniques avec les noms des boutiques extraordinaires, mais réservons les achats

Lincoln Center

pour plus tard et dirigeons-nous vers le **Lincoln Center for the Performing Arts** dans la 65ème Rue.

Le Lincoln Center a été construit au début des années 60 dans le cadre d'un projet d'assainissement pour supprimer les quartiers insalubres. Le complexe, flanqué de la Fordham University et de la **Julliard School,** se compose de six bâtiments, y compris le **Metropolitan Opera, l'Avery Fisher Hall** et le **New York State Theater.** Reposez vos pieds et votre esprit près de la fontaine de marbre noir.

Après une pause à l'hôtel, vous vous sentirez suffisamment bien pour un dîner à Upper West Side, où il y a tant de bons restaurants qu'il est presque impossible d'en recommander un en particulier. Si vous êtes d'humeur à dépenser de l'argent, le **Café des Artistes** (1 Ouest 67ème Rue) est un joyau caché au rez-de-chaussée de l'Hôtel des Artistes. Le **Victor Urban Café** (240 Columbus Avenue), le **Dallas BBQ** (27 Ouest, 72ème Rue, tél 873-2004) ou le Diane's (249 Columbus Avenue, Tél 799-6750) sont plus appréciés.

Après le dîner, rendez-vous sur Columbus Circle pour une promenade en **calèche** à travers Central Park. Une demi-heure coûte environ 20 dollars. On ne vit qu'une fois !

La ceinture verte

3e jour

Downtown

Petit déjeuner au World Trade Center et promenade sur l'esplanade de Battery Park; avec le ferry jusqu'à la Statue de la Liberté; déjeuner à South Street Seaport; balade à Greenwitch Village et Soho; dîner à Little Italy et une soirée de jazz à Bleecker Street.

Downtown commence à la **14ème rue** et descend jusqu'à **Battery Park.** C'est la partie la plus ancienne de Manhattan et sans aucun doute la plus piquante et la plus chaotique – un quartier – plat unique, mélangé sans ordre ni recette. C'est comme si on avait bien secoué la ville et que tous les mauvais morceaux soient tombés par terre. Les rues sont anguleuses, le réseau du métro est un fouillis infernal et il semble qu'il n'y ait aucune frontière entre les différents quartiers. Pour compliquer les choses et perturber encore plus les visiteurs, une population colorée et mêlée a échoué ici : juifs et Portoricains sur Lower East Side, Italiens et Chinois autour du City Hall. L'art et l'industrie cohabitent directement dans Soho et la ligne étincelante des gratte-ciel s'étire en arrière-plan des casernes.

World Trade Center

Ce sont justement ces paradoxes qui, en partie, alimentent Downtown de leurs étincelles créatrices. Celui qui cherche des innovations, des idées nouvelles et hardies – en art, en politique, en affaires, en culture – celui-là trouvera son bonheur à Downtown. La plus ancienne partie de la ville est toujours une jungle urbaine indomptable.

La visite de Downtown commence là où s'est achevée celle de Midtown : à 300 mètres au-dessus du sol. La noblesse de l'argent se retrouve aux **WINDOWS ON THE WORLD,** au 107ème étage du **World Trade Center.** Le restaurant est sélectif, cher et exige une tenue élégante (les Jeans et les baskets sont interdits, mais par un jour clair, la vue est absolument spectaculaire (réservations indispensables), l'« Hors d'Œuvreries » est relativement plus abordable que le restaurant principal.

Au cas où le niveau des prix et le principe correspondraient à votre style, faites une tentative au **GREENHOUSE RESTAURANT** du Vista Hotel (3 World Trade Center) et montez jusqu'à la **plateforme panoramique.** Le funambule Philippe Petit a franchi l'abîme entre les deux tours jumelles, d'autres audacieux ont sauté en parachute ou bien en ont escaladé les parois – tous furent ensuite immédiatement arrêtés par la police new yorkaise. La plate-forme panoramique est ouverte aux visiteurs à partir de 9 heures 30 et l'entrée coûte 3,50 dollars.

Après les plaisirs célestes, en voici un autre, plus terre-à-terre : une promenade dans Battery Park City. Depuis le niveau *Concourse,* on suit les panneaux jusqu'au North Bridge du World Trade Center. Par un passage vitré, on arrive au **Winter Garden,** un atrium impressionnant avec des magasins chics, un escalier de marbre et, c'est à peine croyable, une palmeraie. Chez Rizzoli, vous pourrez fureter sans être dérangé ou boire un expresso dans l'un des cafés, avant de vous rendre sur l'esplanade qui longe l'Hudson sur environ 1,5 km en direction de Battery Park. Cette esplanade est un petit chef d'œuvre de l'architecture paysagiste, avec une vue magnifique sur le port de New York. Même la vieille usine Colgate (avec sa grosse horloge) sur l'autre rive du fleuve du côté de New Jersey paraît romantique dans cette perspective.

Jardin d'hiver en été

A l'extrémité sud de l'esplanade, en direction de la **Statue de la Liberté** commence l'ancien Battery Park à la *Fireboat Station* sur le quai A (attention, si l'extrémité sud de Battery Park est encore en travaux, passez par West Street). Des billets pour la Statue de la Liberté sont vendus dans l'ancienne forteresse de Castle Cinton, en contrebas de la promenade. Il y a un ferry toutes les demi-heures et la traversée coûte 6 dollars pour les adultes et 3 dollars pour les enfants de moins de 12 ans.

La Statue de la Liberté est l'œuvre du sculpteur français Fréderic Auguste Bartoldi et fut offerte par la France aux USA en signe de compréhension et d'amitié mutuelles. Depuis son inauguration en 1886, elle est non seulement le symbole le plus célèbre de l'Amérique, mais aussi le salut de bienvenue aux millions d'immigrants, dont le premier aperçu des Etats-Unis était le port de New York.

La plupart des visiteurs veulent monter dans la couronne de la statue et pour peu que l'on soit en bonne santé et que l'on n'ait pas peur de faire la queue (quelquefois pendant deux heures), rien ne s'y oppose. Il s'agit là d'une des plus grandes curiosités au monde et comme

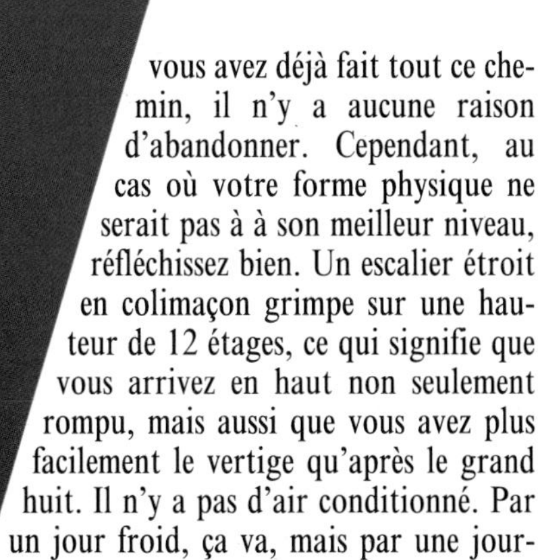

vous avez déjà fait tout ce chemin, il n'y a aucune raison d'abandonner. Cependant, au cas où votre forme physique ne serait pas à à son meilleur niveau, réfléchissez bien. Un escalier étroit en colimaçon grimpe sur une hauteur de 12 étages, ce qui signifie que vous arrivez en haut non seulement rompu, mais aussi que vous avez plus facilement le vertige qu'après le grand huit. Il n'y a pas d'air conditionné. Par un jour froid, ça va, mais par une journée chaude, c'est l'enfer, surtout si vous devez partager l'escalier et la plate-forme avec 100 autres personnes. Des températures supérieures à 35° ne sont pas rares. Bref, la montée est formellement déconseillée aux gens qui souffrent de problèmes cardiaques et autres déficiences d'ordre médical.

Ceux qui restent en bas devraient prendre le temps de faire un tour dans le **musée** installé dans le socle de la statue. La première exposition a pour thème la statue elle-même – maquette, construction et la mythologie considérable dans laquelle baigne le monument. Il y a en outre une intéressante exposition sur l'immigration aux USA. En tout, vous devrez consacrer deux à trois heures à Liberty Island, y compris les 40 minutes de la traversée.

De retour à terre, vous emprunterez State Street et Water Street, vous passerez devant la Chase Manhattan Bank et le mémorial à la guerre du Vietnam et vous déboucherez dans Fulton Street, qui conduit directement au **South Street Seaport Museum.**

Au Seaport, même les New Yorkais ont une âme de touriste. Ne vous laissez pas impressionner par le nom : il ne s'agit pas d'un musée, mais d'une place historique, dont les bâtiments rénovés ont été transformés

L'esplanade

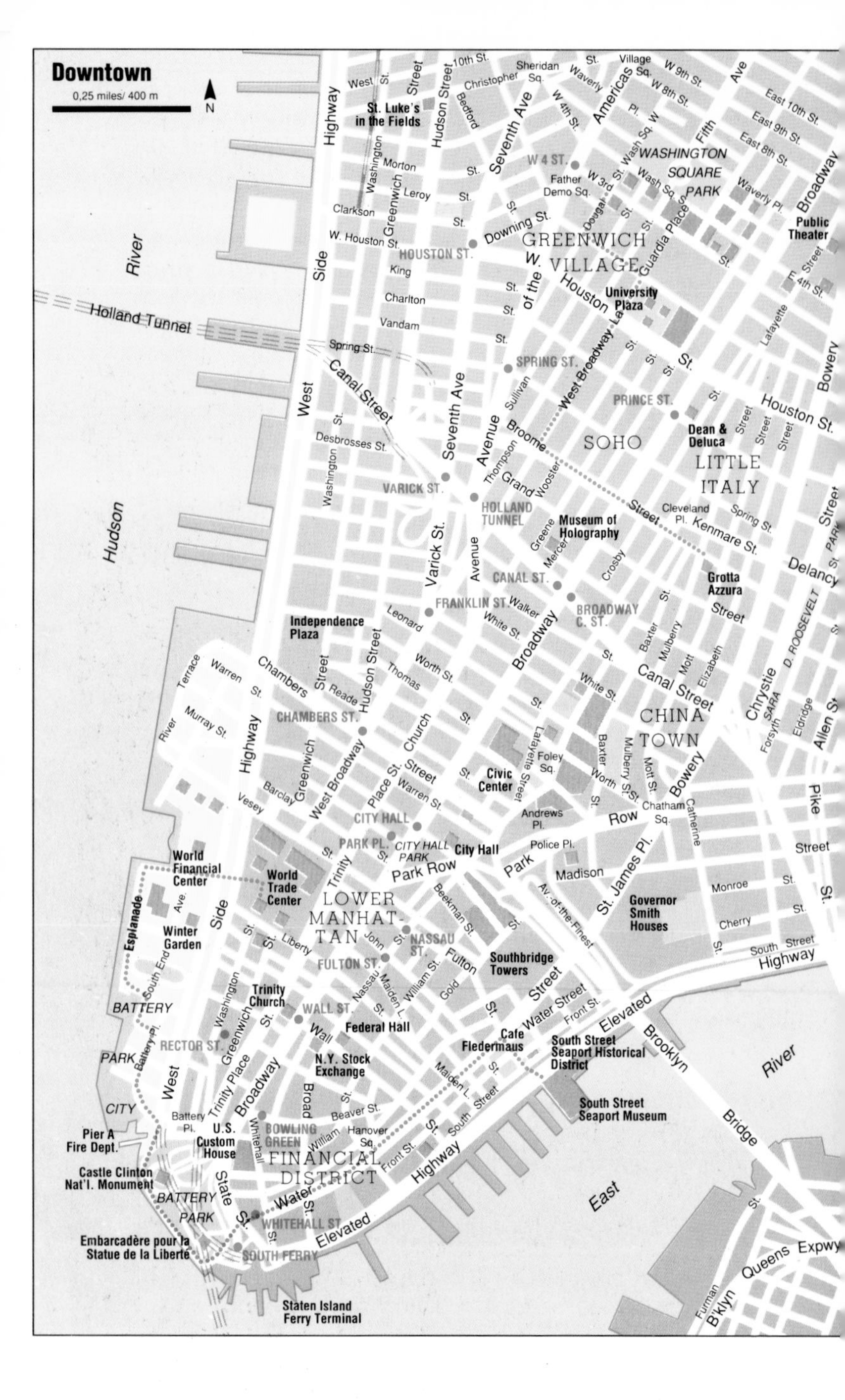

en boutiques, cafés et restaurants, un peu comme Quincy Market à Houston ou Covent Garden. Après que cette zone est restée à l'abandon pendant des années, des entrepreneurs immobiliers l'ont redécouverte. Dans les bâtiments du 19 ème siècle, dans lesquels les armateurs avaient leurs bureaux et où les cordiers vendaient des gréements de bateau, se rencontrent aujourd'hui touristes et yuppies pour déjeuner et faire des courses. Le seul qui n'ait pas changé, c'est le Fulton Fishmarket, toujours essentiellement fréquenté par les grossistes en poisson de la ville (ouvert tous les jours de la semaine de minuit à 8 heures du matin).

Ce qu'il y a de merveilleux à Seaport, c'est qu'il soit si new yorkais : beaucoup de place, net, amical, propre et très, très lent. Le pavago de pierre est idéal pour flâner bras dessus bras dessous, les boutiques montrent des vitrines alléchantes. **Shermerhorn Row** à l'angle de Front Street et de Fulton Street est un bon point de départ. Ici, on se heurte à la filiale d'une librairie du Stand, ou à la Nature Company, un miracle du New Age, ainsi qu'à une boutique de Laura Ashley. Une rue plus loin, dans **Cannon's Walk, BOOK & CHART STORE** offre un choix impressionnant de livres de voyage et de cartes marines. Une imprimerie dans le style du 19ème siècle propose des objets de papeterie originaux.

South Street Seaport

Sur le quai 17 qui borde l'East River, on peut faire des achats sérieux. On peut choisir des sculptures de céramique chez **PAVO REAL**, un art inspiré des insectes à la **MARIPOSA BUTTERFLY GALLERY** et tout un arsenal de maquettes de jouets au **LAST WOUND UP**.

En outre, on ne saurait que trop conseiller une **visite des bateaux historiques** aux quais 15 et 16. En dehors des classiques bateaux à vapeur, schooners, bateaux à aubes et remorqueur, est amarré le *Peking*, le deuxième plus grand voilier du monde, avec des tableaux de la vie des matelots, dépourvus de toute forme de romantisme. Billets en vente au guichet du quai 16.

Il est peut-être temps de chercher un bon restaurant. **GIANNI'S** (Fulton Street) ses pizzas et sa pasta de toute premier qualité, **ROEBLING'S** (Fulton Street) et **JADE SEA** (quai 17) avec des spécialités de Hong-Kong, sont particulièrement conseillés. Mais avant de faire votre choix, regardez bien autour de vous si vous préférez aller de stand en stand en mâchonnant, vous devriez allez vers Fulton Market. Hot dogs et frites chez **SEAPORT FRIES** (Fulton Street) conviennent également aux budgets les plus serrés.

On a une vue fantastique du **pont de Brooklyn** depuis la terrasse du 3ème étage du quai 17. Des chaises longues invitent à la détente et à

South Street Seaport et le Financial District, ouvert jour et nuit

la paresse. Vos yeux se ferment lentement ? Accordez à votre corps le repos qu'il désire – vous avez justement trouvé la meilleure place de toute la ville pour une petite sieste.

Peut-être qu'avec deux heures de sommeil, vous vous préparez à une nuit blanche. Vous trouverez des taxis dans South Street, avant le quai 17. Commencez à mettre au point le programme de votre soirée entre 18 et 19 heures. Attraction n° 1 : **Washington Square** à Greenwich Village.

Les New Yorkais parlent volontiers et avec nostalgie de **Greenwich Village,** des jours légendaires, quand tout ce qui était nouveau et excitant provenait du village. Il existe une liste des « Vieux Villageois », sorte d'extrait du gotha, de la culture et de l'art américains : Henry James, Winslow Homer, Eugène O'Neill, John Reed, Cummings, Thomas Wolfe, Bob Dylan, les poètes de la Beat Generation et quelques-uns des plus grands musiciens de jazz. Depuis quelques temps, la lumière rayonnante de la créativité n'est plus qu'une petite flamme tremblotante. C'est presque toute la scène gay qui porte aujourd'hui le fardeau de la sous-culture. Il y a encore quelques théâtres expérimentaux et un happening ici et là, mais désormais, le village est intégré au « mainstream ».

Depuis l'angle de Washington Square South et de MacDougal Street, MacDougal Street conduit à Downtown au New York University Law Center, en passant pas **Bleecker Street.** Tout ce qui fait la littérature se rencontre ici, dans les restaurants et les cafés. C'est au Provincetown Playhouse qu'Eugène O'Neill a mis le feu au monde du théâtre.

Lèche-vitrines à South Street Seaport

Le village est au carrefour de MacDougal Street et de Bleecker Street. Des cafés dans tous les coins, des clubs, des restaurants, y compris celui de **Village Gate** (Bleecker et Thompson), **Kenny's Castaway** (157 Bleecker) et le **Bitter End** (749 Bleecker). A droite de LaGuardia Place (en fait une rue), les vendeurs de rue proposent les inévitables T-shirts et boucles d'oreille.

Greenwich Village

Soho commence de l'autre côté de Houston Street Ouest. Soho – jargon new yorkais pour SOuth of HOuston – est plus que la capitale artistique de l'Occident, c'est, vingt-quatre heure sur vingt-quatre, un jeu, une aventure pour tous ceux qui ont de l'argent et (théoriquement) du goût. Au début des années 60, les usines étaient un paradis pour les artistes qui, devant l'augmentation des loyers, s'étaient réfugiés dans le Village. Les galeries suivirent les artistes, les boutiques suivirent les galeries et hop ! *a trend was born*. Aujourd'hui, on trouve à Soho la mode avant-gardiste, les meilleurs restaurants et les appartements les plus chers de New York City. Sans oublier l'architecture. Les merveilleuses **façades en fonte** ont assuré à Soho sa place dans l'histoire de l'architecture.

Il vous faudrait au moins une semaine pour visiter tous les magasins et galeries de Soho. C'est pourquoi vous devrez ici vous satisfaire d'un premier aperçu des « grands » établissements : **LEO CASTELLI** (420 West Broadway), **MARY BOONE** (417) et **O.K. HARRIS** (383), spécialisés dans l'art contemporain. Si vous vous sentez dans des dispositions suffisamment bonnes pour pouvoir laisser une petite fortune à Soho, rendez-vous à la **GALLERY OF WEARABLE ART** (480), où l'art et le kitsch s'opposent en permanence, chez **IF** (470) pour ses « fringues » design, chez **JOOWAY** (436) pour les dessous, ou chez **D.F. SANDERS** (386) pour les objets d'ameublement « ultra-cool ». Les enfants trouveront leur bonheur chez **DAPY** (431) ou chez **THINK BIG** (390), où tous les objets quotidiens sont proposés dans des dimensions éléphantesques.

Broome Street, sur la gauche, conduit à Mulberry Street, le cœur de **Little Italy** où la cuisine italienne vous attend. La **GROTTA AZZURA** (à l'angle de Broome et de Mulberry), une petite cave étroite avec une excellent cuisine, propose un choix de spécialités du sud de l'Italie. La meilleure entrée en matière, c'est une carafe de vin, du pain à l'ail et des calamars rôtis. Après le repas, il faut aller au **CAFFÈ ROMA** pour un capuccino. Parions que vous ne pourrez pas résister à des *cassatina* ou à *cannoli* ?

Au cas où la Grotta Azzura ne serait pas de votre goût, tentez votre chance dans la vingtaine de restaurants de Mulberry Street. Le **LUNA'S** (112) a une ambiance familière et de la musique de temps en temps. **BENITO 1** (174) fait de la cuisine sicilienne, tandis que **UMBERTO'S CLAM HOUSE** est célèbre pour ses poissons et ses mafiosi, parfois fauchés de leur tabouret de bar par des rafales de mitraillettes.

Aux heures avancées de la nuit, prenez un taxi pour le Village et allez écouter du jazz. Le **VILLAGE GATE** (160 Bleecker), le **BLUE NOTE** (131 West Third) et le **VILLAGE VANGUARD** (178 Septième Avenue) sont des boîtes classiques de jazz. Informations sur les clubs dans l'édition dominicale du *New York Times* et du *New Yorker Magazine.*

Matin

Museum of Modern Art

Petit déjeuner au Carnegie Deli ou au Broadway Diner; visite du Museum of Modern Art; déjeuner à La Bonne Soupe.

Le **Museum of Modern Art** possède la meilleure collection d'art moderne des USA. Récemment, le bâtiment a été rénové pour quelques millions de dollars, moyennant quoi la surface d'exposition a doublé. Bien que beaucoup de critiques se soient plaints de la disparition d'une certaine forme d'intimité, le « Moma » est toujours un des musées les plus agréables de ville.

Le fond est constitué par une étonnante collection de Picasso, Matisse, Van Gogh, Monet, Pollock – tous les grands sont ici représen-

Le Carnegie Deli

tés avec des œuvres maîtresses. Bien que la collection soit relativement étendue, le visiteur est irrésistiblement attiré d'une salle à l'autre et est incapable de dire combien d'œuvres il a déjà pu voir. A côté de cette exposition permanente, le Moma propose aussi des expositions temporaires qui attirent les amateurs d'art par milliers, surtout les weekends. Vous serez informés du programme des expositions en cours en téléphonant au 212-708-9480. Le musée ouvre ses portes (sauf le mercredi) aux environs de 11 heures, prévoyez alors un petit déjeuner tardif.

Le CARNEGIE DELI (854 Septième Avenue, à côté de la 55ème Rue) est une maison de tradition. C'est bruyant, plein et un peu exaspérant, mais « c'est New York ». Et les plats sont fous ! Pastrami, œufs et toasts pour tous ceux qui ne font pas attention à leur ligne. Ou bien la spécialité traditionnelle : des *bagels* (petits pains avec un trou au milieu) avec du fromage frais et du saumon fumé (ce serait commettre un blasphème que de retirer les oignons). Ici, on n'a pas encore entendu parler de nouvelle cuisine, les repas sont incroyablement riches et les portions énormes. Si vous commandez une « assiette de luxe », vous comprendrez ce que je veux dire. Ce qu'il faut encore savoir : le Carnegie n'est pas un petit restaurant bien propre, on s'assoit à des tables immenses, au contact des autochtones. Et les cartes de crédit ne sont pas acceptées !

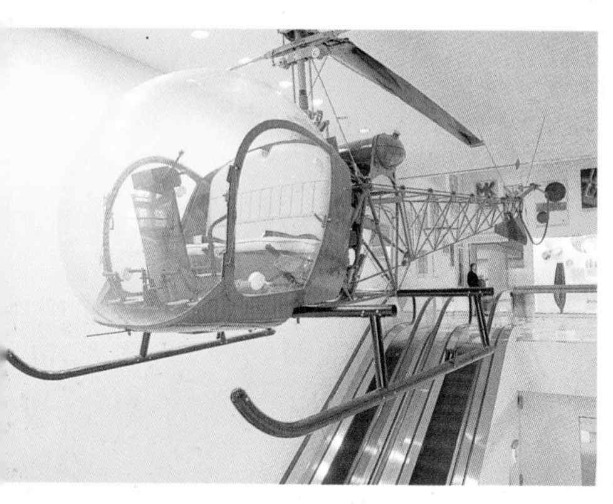

Un autre moyen de visiter le musée...

Si vous estimez que vous seriez plus rassasié avec des œufs sur le plat ou des œufs brouillés au jambon, essayez le **Broadway Diner** (1726 Broadway, à côté de la 55ème Rue Ouest), une imitation art déco fréquentée par les gens du théâtre. On y sert un déjeuner convenable.

A partir de ces deux restaurants situés à proximité de la 55ème Rue, vous accédez au Moma par la Sixième Avenue. Malgré tous ses drapeaux, les New Yorkais tiennent à l'appeler Sixième Avenue – Avenue of the Americas, c'est pour les touristes et les bureaucrates.

Au rez-de-chaussée, à côté du Lobby Café et de la librairie, se trouve le Sculpture Garden, avec des œuvres de Picasso (*La chèvre*) et de Rodin (*Balzac*). Les expositions de peinture et de sculpture commencent au premier étage, depuis les œuvres post-impressionnistes de Cézanne à *La nuit étoilée* de Van Gogh, et aux cubistes, en passant par Seurat et Toulouse-Lautrec, avec un bon choix de Picasso, *Les demoiselles d'Avignon* et le *Pierrot assis*. Une salle entière est consacrée aux *Nymphéas* de Monet.

Les couleurs fortes des expressionnistes allemands succèdent aux futuristes italiens bizarres. Dans la salle Matisse, c'est *La Danse* qui domine. La remarquable collection Picasso comprenait autrefois *Guernica*, qui a été donné au Musée du Prado à Madrid. Le tableau représente la violence de la guerre civile espagnole. C'est plus gai chez Miró avec son *Hirondelle/Amour* représentés aussi bien par les longues silhouettes de Giacometti que par le maître de l'absurde, Magritte. Il faut aussi voir la collection de photos au premier étage. Dans n'im-

Le musée d'Art Moderne

porte quel musée un peu moins spectaculaire, ce serait une attraction en soi, mais ici, elle est vouée à un rôle de figurant.

Au deuxième étage, ce sont les artistes américains qui dominent, en commençant par Edward Hopper et Andrew Wyeth, dont le *Christinas World* est déjà presque devenu une icône américaine. *La piscine*, le célèbre collage de Matisse, a été terminé par l'un de ses assistants, car lui-même était trop malade pour travailler. Le chaotique *One Number 31* de Jackson Pollock contraste avec les surfaces monotones des *Color Field Artists*. Pour conclure, le Pop Art avec le célèbre *Gold Marilyn* d'Andy Warhol, le *Flag* de Jason Johns – une reconstruction ironique du symbole national – et une bonne dose de « junk art », le hamburger et les frites du monde artistique.

L'art sur quatre roues

Au cas où vous auriez emmené vos enfants avec vous dans la visite de ce musée, envoyez-les sans plus tarder au troisième étage, où un hélicoptère Bell de couleur verte est accroché au plafond et où Pinin Farina rouge feu allume des étincelles dans les yeux des petits (et des grands) fanatiques de la voiture. Cette partie du musée est consacrée au design : des esquisses fascinantes et des maquettes grandeur nature à côté, voisinent avec une collection de chaises, casseroles, séchoirs à cheveux, lampes, outils et autres objets. Lorsque vous quitterez le musée, vous regarderez votre cuisine et votre caisse à outils avec des yeux différents.

L'excellente cinémathèque du musée présente les meilleurs films d'archives de toute la ville. On trouve des informations sur le programme du jour et des billets gratuits dans le hall d'entrée. Visites guidées du musée tous les jours aux environs de 12 h 30 et de 15 h.

Depuis les livres d'art, les chaises miniatures de Rietveld au bricolage à faire soi-même en passant par des services à thé avec un décor design russe des années 20, la boutique du musée et l'annexe sont une source étonnante de cadeaux de goût et de souvenirs. Reprenez le chemin que vous avez suivi pour venir, à droite à la sortie, puis encore à droite dans la Sixième Avenue. Encore une fois à droite dans la 55ème Rue et vous voilà devant **La Bonne Soupe** (48 West 55th Street), un petit bistrot français accueillant, idéal pour une détente « post-musée ».

Whitney Museum et Madison Avenue

Petit déjeuner à la New Wave Coffee House et visite du Whitney Museum; achats sur Madison Avenue; intermède bref au F.A.O Schwartz; déjeuner au Papaya King

La journée commence par un petit déjeuner tardif à la **New Wave Coffee House** (937 Madison Avenue, à côté de la 74ème Rue). Tout à côté du prétentieux Upper East Side, les petites « coffee shops », très fréquentées et « normales », sont des oasis de fraîcheur. La nourriture n'a rien d'exceptionnel, mais elle rassasie et ne fait pas de trop gros trous dans le budget. Beaucoup de connaisseurs prétendent que la cuisine de la New Wave est meilleure que celle de ses rivaux.

On pourrait en discuter, mais le fait est qu'on y rencontre des célébrités comme Dustin Hoffman, Tony Bennet et autres VIP, qui viennent y boire leur café. Même sans stars, le New Wave dégage une atmosphère culinaire typiquement new yorkaise, à laquelle contribuent les innombrables tasses de café gratuites offertes en cadeau, servie par des machines on ne peut plus fatiguées.

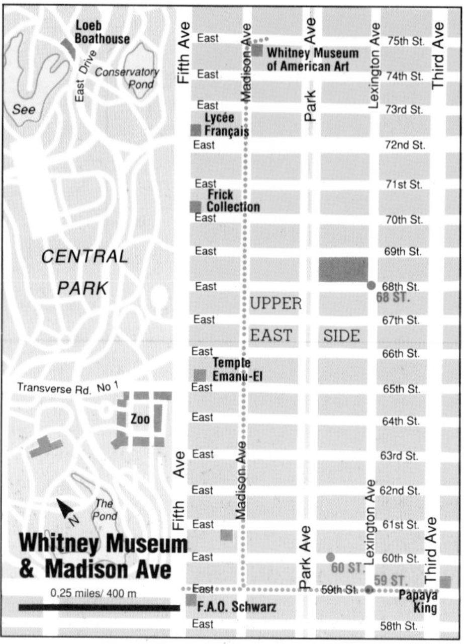

La première étape du jour est le **Whitney Museum,** à l'angle de Madison Avenue et de la 75ème Rue. Impossible de ne pas le voir – la construction en porte-à-faux (une pyramide tronquée inversée) de Marcel Breuer est une œuvre d'art unique et avec le musée Guggenheim, l'une des réalisations architecturales les plus audacieuses et les plus controversées de Upper East Side.

La collection Whitney a été commencée en 1930 par Gertrud Vanderbilt, dont les préférences allaient visiblement à des réalistes américains comme Edward Hopper et George Bellow.

Depuis lors, et surtout depuis l'ouverture du nouveau bâtiment en 1966, l'objectif déclaré du musée est de présenter tout l'éventail des artistes américains du 20ème siècle – qu'il s'agisse de Georgia O'Keefe, William de Kooning, Jackson Pollock, Jasper Johns ou Andy Warhol.

Des expositions sont consacrées soit à des artistes particuliers, soit à certains thèmes. Tous les deux ans, le musée organise la biennale

Whitney. Ce tour d'horizon de l'art américain le plus provocant du moment est devenu une sorte de Mecque pour tous les amateurs d'art. Informations au 570-3676.

Le Whitney est ouvert du mercredi au samedi de 11 heures à 17 heures, avec des visites gratuites à 11 heures 30, 13 heures 30 et 15 heures 30. Ouverture à partir de 13 heures le mardi, entrée libre entre 18 et 20 heures. Ouverture le dimanche de midi à 18 heures. Prix de l'entrée : 5$. Bien que l'on puisse passer ici toute une journée sans s'ennuyer une seule seconde, il faut prévoir en moyenne une à trois heures de visite. Le **Store Next Door** propose toutes sortes de bibelots.

Entre le Whitney Museum et la 59ème Rue, Madison Avenue se grise de luxe. C'est ici qu'est représentée l'élite de la haute couture : Yves Saint-Laurent, Giorgio Armani, Gianni Versace, Emmanuel Ungaro, Laura Ashley et Perry Ellis. Et ce n'est qu'un début. Il va de soi que tout cela s'adresse à un clientèle fortunée, mais il est permis de regarder ...

En plus des couturiers de luxe précités, il faut aussi jeter un œil sur beaucoup d'autres boutiques. Allez donc voir chez **Polo** de Ralph Laurens installé dans une élégante demeure de Madison Avenue au coin de la 72ème Rue, ou chez **Mabel's**, le paradis des chats avec une mode pour chat, un art pour chat, des meubles pour chat, des bijoux pour chat et autres chatteries ... une rue plus loin.

Toujours dans le domaine de la mode, il y a le look postmoderne japonais chez **Kenzo**, à l'angle de la 69ème Rue. Les cowboys citadins peuvent s'habiller avec succès une rue plus loin, chez **Billy Martin's**,

Le Whitney Museum

Mode japonaise sur Madison Avenue

où l'on trouve des frusques de cowboy, des bijoux de cowboy et des bottes de cowboy. **Bottega Venetta,** à l'angle de la 59ème Rue, est le plus exclusif des maroquiniers à l'ouest de la Via Veneto.

Après tant de snobisme, réfugiez-vous chez **F.A.O. Schwartz,** la meilleure adresse de jouets de New York. L'entré principale se trouve sur le Grand Army Plaza et l'entrée latérale sur Madison Avenue, à proximité de la 59ème Rue. La boutique est toujours pleine et la plupart des clients ont depuis longtemps passé l'âge (ou du moins le devraient-ils). Il est permis de toucher – ou bien voulez-vous abandonner tout le paradis des jouets aux enfants ?

Si vous avez fini de jouer, il doit être temps de déjeuner. Le **Papaya King** (59ème Rue Est et Troisième Avenue) fait non seulement d'excellents hot-dogs, mais aussi des jus de fruits exotiques.

Il n'y a que quelques chaises, il faut donc vous précipiter dès qu'on en voit une de libre. On peut alors déguster tranquillement les meilleures saucisses de la ville avec un champagne coco – ou avec un épais jus de papaye et de mangue. Si on n'est pas encore rassasié, on peut faire le plein de calories à la **Swensen's Ice Cream Factory** (65ème Rue et Deuxième Avenue).

Temple Emanu-El

Vieux maîtres et ours blancs

Petit déjeuner dans une coffee shop, balade sur la Cinquième Avenue (l'Avenue des Millionnaires), visite de la collection Frick; le zoo de Central Park, déjeuner au Loeb Boathouse Café dans Central Park

Cette large visite matinale commence par un petit déjeuner dans une coffee shop à Upper East Side, par exemple au **NECTAR** (Madison Avenue, à côté de la 79ème Rue). Le **SKYLINE** (Lexington Avenue et 75ème Rue) a aussi un petit charme légèrement effiloché.

Après le petit déjeuner, promenez-vous dans la 79ème Rue en direction de l'ouest, vers le bas de Cinquième Avenue, en passant devant le palais du **Milionaire's Row.** Les riches industriels du début des années 20 s'inspirèrent de modèles européens pour construire leurs demeures qui, aujourd'hui, abritent souvent des organisations culturelles et d'intérêt général.

L'ambassade de France (934 Cinquième Avenue) s'est installée dans une villa néo-renaissance à la somptueuse façade de granit, autrefois construite par le banquier Payne Whitney. Un *palazzo* italien de 1909, aujourd'hui siège du **Commonwealth Fund** (1 East, 75ème Rue), appartenait à Edward Harkness, le fondateur de l'empire de la Standard Oil. Le **New York University of Fine Arts** (1 East 78ème Rue) s'est installé dans une villa de style château Français du 18ème siècle et le **Lycée Français** (7 East, 7éme Rue) reste fidèle au style national dans ses bâtiments beaux-arts.

Le palais au coin de la Cinquième Avenue et de la 70ème Rue abrite la collection **Frick,** et fut construit en 1914 par Henry Clay Frick, dont la passion pour l'art ne fut surpassée que par sa scrupuleuse âpreté au gain. La collection, surtout des peintures des meubles et des objets du 16ème au 19ème siècle, est une combinaison réussie de l'art et de l'ambiance.

Le raffinement serein (parfois même un peu écrasant) tolère les gémissements des visiteurs épui-

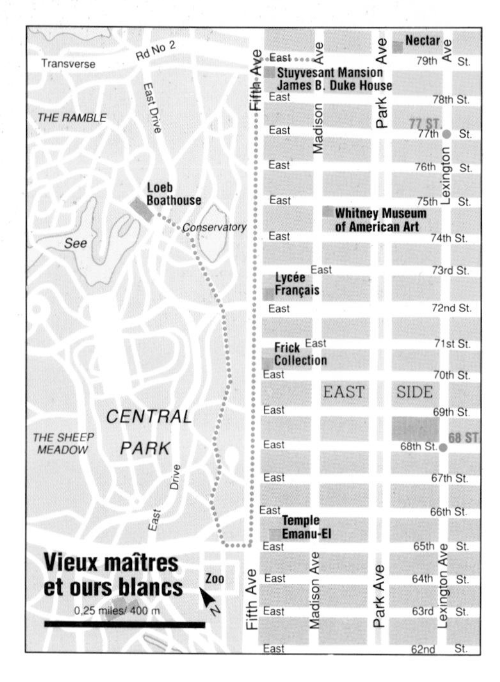

sés, qui s'effondrent avec bonheur dans les fauteuils mous, comme une dame distinguée qui recevrait ses grossiers neveux venus de la campagne. Mais cela permet de dissiper l'atmosphère froide d'un musée avec une intimité chaleureuse.

Prévoyez une à deux heures pour la collection Frick, y compris une pause détente dans la cour intérieure, évasion pensive au milieu de la ville. La Frick Collection est ouverte du mardi au samedi de 10 heures à 18 heures, le dimanche de 13 à 18 heures. Fermée le lundi. Entré 3$.

Toujours en descendant la Cinquième Avenue, on passe devant l'imposante **Mission Yougoslave** (854 Cinquième Avenue), le **Lotos Club** (5 Est 66ème Rue) et le gigantesque **temple Emanu-El** (1 Est 65ème Rue). A la 64ème Rue, on tourne à droite pour rentrer dans Central Park où, derrière l'Arsenal, se trouve le **zoo.** Ours polaires et singes dans une jungle de béton. Difficile à croire, mais c'est vrai. Ici, sur la Cinquième Avenue. Afin de bien nous comprendre, il ne s'agit pas là du zoo le plus imposant du monde, mais compte tenu de sa taille et de ses moyens financiers, ce pourrait être l'un des plus riches. Dans le cadre d'un programme de rénovation de 35 millions de dollars, les an-

Central Park

ciennes cages de fer ont laissé la place à un habitat simulé et quelquefois, il n'y a qu'un mur de verre pour séparer les animaux des visiteurs. Il faut voir la cage de verre des pingouins et une petite forêt tropicale avec des oiseaux, des chauves-souris et des piranhas.

Promenade en calèche

A la sortie du royaume des animaux, le déjeuner nous attend au **Loeb Boathouse Café,** sur la rive nord du lac.

A partir du zoo, suivez le chemin asphalté en remontant jusqu'à la 72ème Rue, ou demandez votre route à l'un des employés du zoo. Les spécialités du nord de l'Italie du Boathouse Café ne sont pas vraiment bon marché (plat principal entre 10 et 18$), mais par les journées ensoleillées, il mérite une visite. Le Zoo Café est moins cher et très propre et en cas d'urgence, on trouve partout des stands de hot-dogs.

Le Metropolitan Museum of Art

Petit déjeuner à Yorkville, suivi d'une visite du Metropolitan Museum of Art; déjeuner à Upper East Side.

Si vous ne devez visiter qu'un seul musée à New York, alors le **Metropolitan Museum of Art** doit être celui-là. Le Met, avec sa palette colorée d'expositions, est non seulement un musée unique de par sa nature, mais aussi par le fait qu'il présente en permanence dix ou douze expositions, disséminées dans un labyrinthe de halls, de salles, de galeries et de jardins. Se perdre, attendre avec patience et découvrir quel trésor se cache derrière la prochaine porte : c'est déjà la moitié du plaisir. Même les grincheux ataviques seront impressionnés – ne serait-ce que par ses dimensions.

Se représenter combien d'hommes ont fabriqué tous ces objets, les millions de mains qui ont modelé chaque détail ! Ou combien de temps et les efforts que cela a demandé de rassembler toutes ces pièces !

Le musée est ouvert du mardi au dimanche de 9 heures 30 à 17 heures 15, le vendredi et le samedi jusqu'à 20 heures 45. Fermé le lundi. Avant de vous précipiter dans le flot des visiteurs du Met, il vous faut prendre des forces. Le restaurant du musée est souvent bondé, c'est pourquoi on vous conseillera le **Café Geiger** (206 Est 86ème Rue, à côté de la Troisième Avenue) à **Yorkville,** le vieux quartier allemand. Il n'y a plus beaucoup de familles allemandes dans cette partie de la ville, mais les restaurants et les magasins allemands y ont survécu et jouissent d'une grande popularité.

En dehors du **Café Geiger,** on trouve encore des tartes Forêt Noire aux cerises à la **Kleine Konditorei** (234 Est 86ème Rue). A **l'Ideal** (238 Est 86ème Rue), on sert de la charcuterie allemande faite maison. Après le petit déjeuner, prenez la 86ème Rue Ouest (direction

Le Metropolitan Museum of Art

Central Park) jusqu'à Lexington Avenue, où vous pourrez jeter un petit coup d'œil sur une des rues commerçantes du quartier. Quittez Lexington Avenue sur la gauche et suivez la 82ème Rue sur la droite jusqu'au musée, trois blocs plus loin.

Comme le musée est trop grand pour en faire le tour en une semaine, et à plus forte raison en une demi-journée, vous avez intérêt à vous fixer une limite horaire et à vous concentrer sur les expositions qui vous intéressent et qui vous font le plus plaisir. La visite qui vous est proposée ici permet de découvrir quelques unes des principales curiosités, mais c'est encore trop copieux en une seule fois. Alors suivez simplement votre inspiration !

Le complexe du musée s'étend sur quatre pâtés de maisons. Le pavillon central, construit en 1902, est le bâtiment le plus ancien. Le musée s'agrandit sans arrêt et aujourd'hui, il est environ dix fois plus étendu qu'au début de son existence. Des figures allégoriques auraient dû être sculptées dans les énormes pierres de taille au-dessus de l'entrée principale, mais au milieu des travaux, l'argent vint à manquer – un symbole des tâches toujours inachevées dans un musée.

Le **Great Hall,** énorme lobby classique, est couronné par trois puissantes coupoles. Un large escalier sur la droite provient d'un château espagnol du 16ème siècle. Il fut reconstruit ici pour servir de jardin à des sculptures de la Renaissance. Derrière le patio, il y a une collection de tapisseries des Gobelins et une **salle de sculptures du Moyen Age,** extraites d'un chœur du 17ème siècle.

A droite se trouve la salle du **trésor médiéval,** remplie d'objets religieux et profanes, parmi lesquels des coupes à boire, des sarcophages, des sculptures sur bois et de très belles statues en métaux précieux, en pierre et en ivoire. Autour de la salle du trésor, différentes *period rooms* sont disposées en étoile, avec par exemple sur la droite les arts décoratifs italiens, suisses et anglais du 16ème au 19ème siècle et sur la gauche, principalement de l'art allemand et français – ensemble opulent façonné dans ses moindres détails.

Le **pavillon Lehmann** est un atrium élégant et clair, érigé en 1975 pour abriter la collection de Robert Lehmann. Les vieux maîtres sont représentés par Bellini, Botticelli et Rembrandt, mais on rencontre aussi les grands noms de la peinture des 19ème et 20ème siècles, Matisse, Van Gogh, Gauguin – mais il s'agit cependant d'œuvres relativement mineures. La **American Wing** contient l'une des plus belles collections mondiales d'art américain.

On pénètre dans cette aile par la **Charles Englewood Court,** un jardin paisible qui donne sur Central Park avec une verrière, un bassin empli d'eau, une intéressante collection de sculptures et la façade rapportée d'une ancienne banque de Wall Street.

Des bancs de bois confortables attendent les visiteurs fatigués. Le reste de l'American Wing est aménagé avec des objets de l'époque coloniale, jusqu'au *Room from the Little House* de Frank Lloyd Wright. Des œuvres américaines précoces, comme par exemple celles de John Singleton Copley, Benjamin West et John Trumbull, ainsi que le *Washington traversant le Deleware* d'Emmanuel Leutzes, constituent le point culminant de la collection de tableaux.

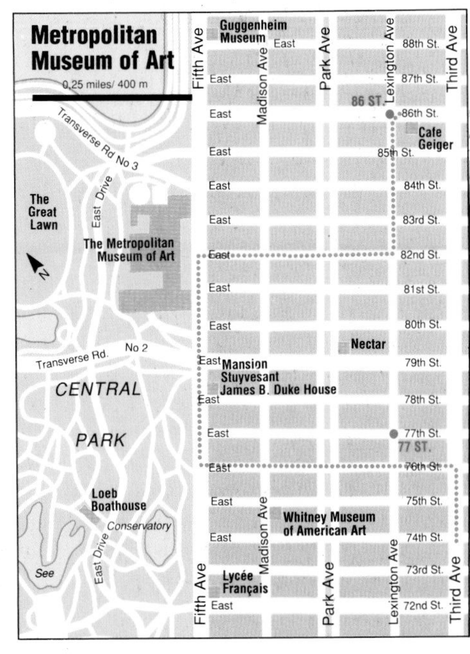

Toute une salle est consacrée à Winslow Ho-

mer. On peut voir en outre différents bronzes du cowboy artiste Frederic Remington et des œuvres tardives de Whistler, John Singer Sargent et Edward Hopper. Passer d'une salle à l'autre crée l'un des plus beaux effets de surprise du Met.

Un instant plus tôt, on était encore dans une pièce d'habitation américaine du 18ème, et la seconde suivante, on se retrouve sur les bords du Nil à l'époque de Cléopâtre. Les **antiquités égyptiennes,** qui succèdent à l'art américain, commencent par le superbe temple de Dendur, installé dans une galerie magnifiquement aérée et éclairée. Les pièces de collection, rangées dans un ordre chronologique, comprennent des sarcophages, des tombes reconstruites, des bijoux et des statues.

Ce petit tour du monde historique conduit le visiteur de Thèbes à Athènes, puis à Rome – de l'autre côté du Hall d'entrée. Depuis l'âge de bronze jusqu'à la chute de l'empire romain, les objets racontent leur dramatique parcours.

Et voici maintenant le royaume des totems et des tabous : la **Wing of « Primitive Art »** de Michael C. Rockefeller, baptisée du nom du fils de Nelson Rockefeller, disparu en Nouvelle-Guinée lors d'une expédition en 1961. Les expositions concernent l'art de l'Afrique, des Amérindiens et des îles du Pacifique. Même à la lumière artificielle du musée, on ne peut échapper au charme étrange du totem des Asmat.

Charles Englewood Court

Le Met peut se vanter de posséder l'une des plus importantes collections de tableaux européens – en fait un musée à part entière et qui mérite une visite séparée. Tout comme les touristes américains classiques qui « pointent » en 14 jours dans tous les pays d'Europe, ici on passe avec étonnement d'un chef d'œuvre à l'autre, à travers 500 ans d'Histoire de l'Art Européen.

Mieux vaut commencer par **l'English Gallery** au 2ème étage pour, de là découvrir d'autres nations. Encore sous le charme d'un portrait de William Gainsborough ou de Thomas Lawrence, on tombe l'instant d'après sur le maniérisme éthéré d'un Botticelli, d'un Raphaël ou d'un Véronèse, qui représentent la Renaissance italienne.

Le temple de Dendur

Aux charmants Français du 17ème siècle, succèdent dans la salle suivante les marchands et les vaches baignés de la lumière mélancolique des maîtres hollandais, Vermeer, Rembrandt et Hals. La *Crucifixion* et *Le Jugement Dernier* de Jan Van Eyck conduisent aux premières œuvres de peintres flamands, allemands et hollandais. Dans l'art hispano-néderlandais, Bruegel, Van der Weyden et Rubens se mesurent au grand Greco, héroïquement secondé par une garde de peintres espagnols.

Quelques pas plus loin, dans les **galeries André Meyer,** on est au cœur de la France et des impressionnistes qui, avec leur révolution artistique, ont annoncé le 20ème siècle : Manet, Monet, Cézane, Gauguin et Toulouse-Lautrec. Au passage, vous pourrez aussi vous intéresser à des expositions plus petites consacrées à Rodin, Degas et Courbet, ainsi qu'à quelques symbolistes et à des œuvres de l'école de Barbizon.

Ce parcours du combattant s'achève aux USA, par la collection d'artistes américains du 20ème siècle, depuis les réalistes George Bellows, Edward Hopper et Andrew Wyeth, jusqu'à l'école de New York, les «Color Field » et autres artistes Pop, en passant par les expressionnistes abstraits, Jackson Pollock et William de Kooning.

Pour les amateurs d'art asiatique, la **Chinese Garden Court** dans l'angle nord-est du musée est une obligation, ainsi que la **collection d'art extrême-oriental** et la meilleure collection au monde d'art islamique.

Dès que la faim artistique est apaisée, une autre faim, plus profane, celle-là, se fait sentir. Que diriez-vous d'un copieux déjeuner ? Entre la 74ème et la 76ème Rue sur la Troisième Avenue (vous y allez à pied ou vous prenez un taxi), les restaurants se succèdent comme par exemple le **Ciao Bella** (1311), le **Juanita's** (1309), le **Mezzaluna** (1295) et le **Via Via** (1294) – tous un peu yuppie, avec une touche de nationalisme. Mais il y a aussi quelques endroits « normaux ». Le **Plaza Diner Café** est bon marché, le **Il Giardinetto** (1319) est romantique et les classiques hamburgers de chez **J.G. Melon** (1291) sont on ne peut plus américains.

Le Musée Américain d'Histoire Naturelle

Petit déjeuner à Upper West Side, puis visite du muséum; lèche-vitrines dans Colombus Avenue, déjeuner au Panarella's ou au Yellow Rose Café.

Si vous êtes venu avec vos enfants, le **musée d'histoire naturelle** est obligatoire, ne serait-ce qu'à cause des dinosaures. Mais cela ne veut absolument pas dire que le muséum soit exclusivement réservé aux enfants. Parmi les 34 millions de pièces exposées dans 19 bâtiments, il y a aussi des trésors cachés pour les adultes. Malheureusement, il faut faire un choix – visiter la totalité du musée en une seule fois serait du pur masochisme. Il faut compter deux à trois heures, plus une heure pour le planétarium et le Naturemax Theater.

Le musée est ouvert tous les jours à partir de 10 heures, le mercredi, le vendredi et le samedi jusqu'à 21 heures. Entrée, 4 $ pour les adultes et 2 $ pour les enfants.

La journée commence agréablement au GOOD ENOUGH TO EAT (483 Amsterdam Avenue, à côté de la 83ème Rue), petit restaurant avec un solide petit déjeuner, comprenant des scones, des muffins et de la confiture de framboise. Beaucoup d'ambiance aussi au COOPER'S CAFÉ (475 Colombus Avenue et 83ème Rue), avec ses tables en bois et sa vieille machine à café démodée. Lorsqu'il y a encore du soleil, les crêpes aux myrtilles et l'*apple crisp* sont encore meilleurs, si on les mange dehors à une table.

L'entrée principale du musée, surveillée par une statue équestre de Théodore Roosevelt, s'ouvre sur Central Park et la 80ème Rue. Cette aile a été rajoutée au corps du bâtiment d'origine. La vieille façade – un arc imposant néo-roman avec deux tours très ouvragées – date de 1892 et l'on aperçoit encore depuis la 77ème Rue.

Depuis l'entrée principale, rendez-vous directement à la première étape de la visite : la galerie des **dinosaures** au 3ème étage. Les squelettes fossilisés du *Hall of Fame* sont exceptionnels : on peut y voir un brontosaure, un stégosaure, un tyrannosaurus rex et autres célébrités préhistoriques. Un dinosaure momifié avec des tissus fossilisés intacts complète cette collection. La mâchoire de trois mètres de long d'un

Le musée d'histoire naturelle

requin sourit au visiteur à l'entrée de la **Fossil Fish Gallery** et tout un troupeau de sauriens marins, apparemment surpris en plein mouvement, barre le couloir.

La collection de mammifères préhistoriques est tout aussi bizarre. Les fossiles de mammouths dans le **Hall of Later Fossil Mammals** représentent la principale attraction de l'évolution des espèces depuis cette époque. Parmi les objets exposés, il y a un énorme paresseux, des ours des cavernes, de très anciens tatous et un soi-disant *titanothère*, reproduction monstrueuse d'un rhinocéros avec une corne fourchue sur la tête.

Le reste du musée est consacré à l'anthropologie et à la biologie, où les animaux empaillés et naturalisés occupent beaucoup de place. Les vitrines sont intéressantes et riches d'enseignement et rapellent que beaucoup de ces espèces animales sont menacées de disparition. Il ne faut surtout pas manquer l'exposition sur les Indiens d'Amérique. Plusieurs tribus indiennes ont maintes fois tenté de récupérer des sanctuaires et les dépouilles mortelles des ancêtres que le musée s'était appropriés au 19ème siècle.

Comme il est impossible de décrire toutes les expositions, voici une nouvelle sélection des plus intéressantes : au 2ème étage, l'exposition sur les peuples du Pacifique et les tribus indiennes des plaines baigne dans une atmosphère particulièrement lourde. Le mélange des objets et l'analyse des cultures, auxquels s'ajoutent des commentaires sonores, de la mu-

sique et des odeurs, ressuscite les anciennes civilisations. Au 1er étage, il y a des statuettes d'argile précolombiennes, des reproductions en pierre du soleil aztèques, une énorme tête d'olmèque et deux grandes stèles de dix mètres de haut. Chez les Indiens de la côte nord-ouest (au 2ème étage), on est impressionné par un canot de vingt mètres de long, ainsi que par la collection de totems et autres objets rituels. La reproduction d'une baleine bleue grandeur nature a investi le **Hall of Ocean Life** et l'exposition récemment mise en place sur la **biologie de l'homme** explique les processus complexes de l'évolution et de la génétique. Dans le **Hall des Météorites**, on peut voir un specimen de 34 tonnes. Dans **Minerals and Gems Gallery,** on peut admirer le plus gros saphir bleu du monde, le célèbre *Star of India*, certes plus petit que le météorite, mais plus joli.

Une entrée séparée conduit au **Hayden Planetarium** et au **Naturemax Theater** (adultes 4 $, enfants 2 $). Le *Planetarium Sky Show* a lieu tous les jours à 13 heures 30 et à 15 heures 30, plus souvent en fin de semaine. Les films du Naturemax, projetés toutes les heures (à la demie) sur un écran d'une hauteur de quatre étages et de 20 mètres de large, valent la peine d'être vus.

Si on veut encore faire quelques achats avant le déjeuner, on peut aller à l'angle de la 77ème Rue et de Colombus Avenue. Le **Mythology New York** est un magasin de jouets pour adultes, avec des cartes postales, des livres et tout un fatras d'objets bizarres.

La boutique de vêtements d'occasion **Alice Underground** est située dans la cave d'un ancien palais, au coin de la 78ème Rue. Un bloc plus loin, il ne s'agit plus d'underground, mais de haute couture avec **Laura Ashley** (mode féminine), **Andrew Marc** (cuirs), **Beau Brummel**

Exposition de dinosaures

(qui transforme un homme en dandy) et **Mishon Mishon,** où l'on trouve aussi bien des boucles d'oreille que du vernis à ongle. Après tous les squelettes du musée, avez-vous encore envie d'ossements ? Alors rendez-vous chez **Maxilla & Mandible,** l'unique boutique d'os et de squelettes de toute la ville. Tout à côté, **Endicott Bookseller's** est une librairie accueillante et intelligente. De l'autre côté de la 83ème Rue, **Handblock** propose des tissus indiens imprimés à la main et **Screaming Mimi's,** des vêtements et des ustensiles rétro.

Parvenu à la 84ème Rue, il est temps de respirer profondément et de se concentrer sur quelque chose de très important, à savoir : où déjeuner ? Vous avez le choix entre **Panarella's,** parfait pour un tête-à-tête « italiano » romantique (513 Colombus Avenue), ou bien le **Yellow Rose Café,** une taverne typiquement texane. Le Panarella's est situé dans une *Townhouse* de trois étages, avec un bar au rez-de-chaussée, un balcon au premier étage et des niches dissimulées dans le souterrain. La cuisine est nord-italienne et les prix modérés, environ 15 à 20 dollars par personne.

Jouets pour adultes au Mythology New York

Le Yellow Rose Café (450 Amsterdam Avenue, entre la 81ème et la 82ème Rue) est un peu plus chic et les plats un peu plus lourds. Mais une fois installé sur une selle au bar (les tabourets de bar sont en effet des selles) avec une bière *Lone Star* bien fraîche, les *barbecued ribs* ou le steak de volaille paraissent encore meilleurs.

Shopping à Midtown

Petit déjeuner dans le quartier des théâtres; shopping dans les grands magasins de Midtown Manhattan.

C'est à New York que se trouvent les meilleurs grands magasins du monde. Le choix est extrêmement riche, la qualité de tout premier ordre (tout comme les prix) et on ne sait jamais où et quand on va tomber sur l'affaire de sa vie.

L'itinéraire suivant passe par les sept meilleurs grands magasins, mais ce qui est bon pour les 39 millions d'objets du Musée d'histoire Naturelle l'est aussi pour ces sept grands magasins : faire son choix en fonction de ses goûts personnels ! Macy's, Sak's Fifth Avenue et Bloomingdale's sont les trois plus importants, mais beaucoup d'acheteurs malins ne s'intéressent qu'à un ou deux. Cette journée chargée commence très bien au **Café Edison** (228 Ouest 47ème Rue, à côté de la Septième Avenue), le rendez-vous traditionnel des gens de théâtre – bruyant, bon marché et un peu bizarre. Essayez les toasts de pain *Chal-*

lah, (une sorte de gâteau en couronne), ou les crêpes à la banane et aux noix – insurpassables !

Macy's est situé entre la 34ème et la 35ème Rue, au coeur de *Garment District*, le fief de l'industrie textile. Attention ! Ici, on se fait facilement écraser. Méfiez-vous des hommes jeunes, qui circulent dans la rue sans regarder. Comme le proclament les panneaux publicitaires énormes, Macy's est le plus grand « grand magasin » du monde, et par là-même, une curiosité en soi. Traditionnellement, c'est le paradis des achats de la classe moyenne solide financièrement, mais ces dernières années, il a terni son image avec une bonne couche de snobisme – ce qui explique aujourd'hui la présence de fringues design sur les porte-manteaux. En fait, Macy's a tellement de succès que d'autres grands magasins élégants, comme Bloomingdale's, en ont peur. Mais les promotions folles se font de plus en plus rare chez Macy's. Particulièrement apprécié des gourmets new yorkais, le *Cellar*, le sous-sol avec les mets les plus fins et tous les ustensiles de cuisine possibles et imaginables. La sortie de Macy's sur Broadway – au cas où vous ne la trouveriez pas, demandez à un employé de vous aider – mène à Herald Square, point de jonction entre Broadway et la Sixième Avenue. Prenez la 34ème Rue vers la Cinquième Avenue, l'Empire State Building à l'angle est facile à reconnaître.

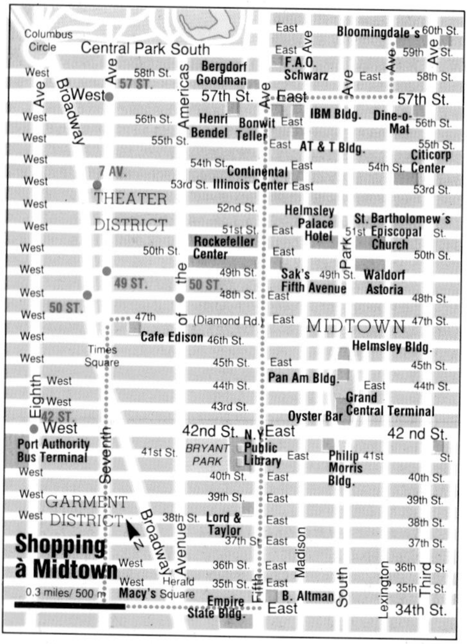

Lord & Taylor se situe à cinq pâtés de maisons de là, en remontant la Cinquième Avenue, à l'angle de la 39ème Rue. De tous les grands magasins de la Cinquième Avenue, Lord & Taylor a la réputation d'être le plus bourgeois et il est célèbre pour ses décorations fastueuses, surtout pendant la période de Noël. En décembre, les queues s'allongent devant le magasin, uniquement pour regarder les vitrines.

Sak's Fifth Avenue, au coin de la 50ème Rue, se distingue tout comme Lord & Taylor par son apparence, mais il est encore un peu plus raffiné. Sak's a certes ouvert des filiales dans d'autres villes, mais la maison-mère de New York est d'une rare élégance. Pour les guetteurs patentés, Sak's est un excellent terrain de chasse, car si on a quelques minutes à perdre, on est sûr de rencontrer une célébrité quelconque.

Au nord de Sak's, la Cinquième Avenue est dominée par les B : **Bonwit, Bergdorf, Bendel** et **Bloomingdale's.** Sur la 57ème Rue avec la Trump Tower, Bonwit Teller a certainement l'adresse la plus chic. Le

grand magasin devint plus petit lorsque Trump s'installa, mais malgré l'influence « trumpienne », il n'a rien perdu de son bon goût. Le resserrement a permis d'améliorer le choix, surtout en matière de bijoux et de vêtements de soirée. Mais si on s'ennuie, **Tiffany & Co.** est tout à côté.

Bergdorf Goodman a élevé le processus d'achat à une forme d'art. Installé à proximité du Plaza Hotel (toujours dans le domaine de Donald Trump) dans l'ancien palais de Cornelius Vanderbildt, c'est presque un blasphème de comparer l'assemblage des boutiques avec un grand magasin ordinaire. On peut voir encore ici l'opulence des Vanderbildt dans les cabines d'essayage, l'atmosphère est extrêmement élégante, les vêtements ont été créés par les meilleurs designers et quant aux prix ... Ici, un vieux dicton se vérifie : « Si l'on doit demander un prix, c'est qu'on ne peut pas le payer. »

Henri Bendel, dans la Cinquième Avenue à côté de la 57ème Rue, est en vérité davantage une très grande boutique avec un choix plus restreint, au style bien défini. Les clients sont plus jeunes, plus « branchés », physiquement et financièrement surtout, plus « lourds ».

The last, but not the least, **Bloomingdale** (59ème Rue et Troisième Avenue), grand magasin mythique et véritable institution new yorkaise. Ici, on peut être sûr du style et de la qualité, et les prix ont au moins l'avantage de se situer dans le cadre des possibilités. Bloomingdale est toujours plein et avant Noël, il déborde carrément. Tout com-

Garment District

Lumières et cadeaux chez Bendel

me le Met, Bloomingdale's est une obligation. Si vous ne devez voir qu'un seul magasin, ce doit être celui-là.

Mais avant de faire vos comptes, mettez quelques dollars de côté pour le déjeuner. Tout à côté de Bloomindale's, il y a plusieurs restaurants attirants : le **YELLOWFINGERS** (1009 Third Avenue) et le **CONTRAPUNTO** servent des pâtes honnêtes, de la salade et un plat principal léger. L'**ARIZONA 206** est un peu moins diversifié, mais avec une touche tex-mex; *très-chic-très-cher-très-yuppie!*

Sous le poids des paquets

Petit déjeuner à South Street Seaport, traversée avec le ferry de Staten Island; visite du New York Stock Exchange, Federal Hall, Trinity Church et St. Paul's Chapel; passage par le City Hall avant de déjeuner dans Chinatown. Une visite à ne faire qu'en une semaine !

Nous commençons cette journée par du café et des muffins *al fresco* dans l'un des cafés de South Street Seaport. Après le petit déjeuner, on emprunte Water Street jusqu'à Battery Park, où se trouve le ferry de Staten Island (au bout de State Street). La traversée en bateau (50 cents, un départ toutes les demi-heures) vers Staten Island, avec une vue à vous couper le souffle sur Lower Manhattan et la Statue de la Liberté, est l'un des plaisirs de New York et aussi l'un des moins chers.

Au retour de cette mini-croisière, on remonte State Street jusqu'à **Bowling Green**, la plus vieille place publique de la ville, au pied même de Broadway. La statue du roi George III fut abattue en 1776 par le petit peuple révolté après la lecture des conditions de l'indépendance. Le mémorial fut fondu et transformé en boulets qui furent envoyées sur les troupes britanniques. La palissade de fer qui entoure la place est originale et date de 1771.

L'extrémité sud de la place est dominée par l'ancien bâtiment des douanes, avec une façade de 1907, richement décorée par Cass Gilbert. Depuis 1933, il abrite le **Museum of the American Indian**. L'entrée de marbre du bâtiment et la majestueuse rotonde méritent aujourd'hui encore une visite.

De Bowling Green, on remonte Broadway vers **Wall Street**, ainsi appelée à cause de la palissade de bois que les Hollandais avaient érigée pour se protéger des assauts de leurs voisins anglais. A côté de Trinity Church, Wall Street se dirige vers l'est. Au croisement de Wall Street et de Broad Street, sur la gauche, se trouve le Federal Hall avec son large perron et à droite dans Broad Street, il y a le **New York Stock Exchange**, la bourse de New York. Au cas où vous vous demanderiez ce qui se cache derrière la colonne de chiffres des pages économiques de votre journal, dans ce temple classique du capital qui date de 1903, vous trouverez à coup sûr la solution du mystère. La salle principale ou *trading floor* est extrêmement bruyante : les courtiers crient et appellent, les ordinateurs cligotent et crépitent, des millions de dollars changent de mains. Ce qui, pour les profanes, ressemble à un chaos, est en réalité le capitalisme en action, une course sauvage à l'achat et à la vente, la source financière (presque) tarie de beaucoup d'entreprises.

L'entrée du *NYSE* est libre, mais les places sont néanmoins limitées. Si le **Visitor Center** est plein – c'est le cas la plupart du temps – un

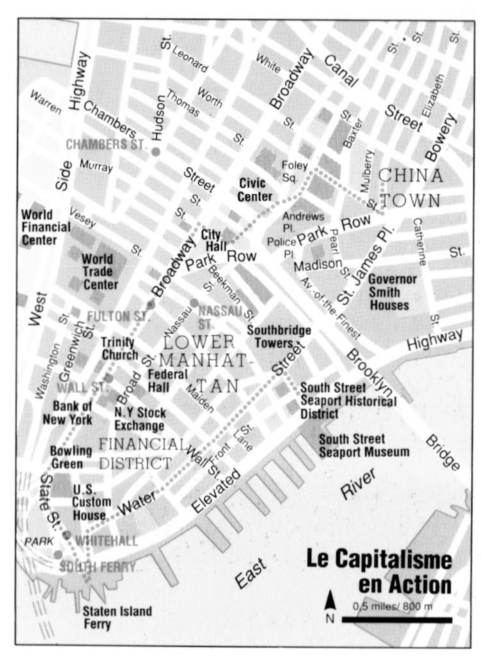

employé distribue quand même des cartes. Vous devrez peut-être patienter un peu et vous aurez assez de temps pour une petite visite au Federal Hall et à la Trinity Church.

A l'emplacement actuel de **Federal Hall**, un palais de 1842 inspiré du Parthénon, il y avait autrefois l'hôtel de ville britannique. C'est là que George Washington fut élu Président en 1789. La statue en haut de l'escalier rappelle cet évènement. Au Federal Hall, ceux qui s'intéressent à l'histoire peuvent, grâce à des expositions temporaires, se renseigner sur le gouvernement et les lois. Mais la vraie vie se joue dehors, sur le perron où, par beau temps, les employés de bureau bronzent à l'heure du déjeuner et les prédicateurs annoncent le jugement dernier.

De l'autre côté de Broadway, la façade couverte de suie de **Trinity Church** veille sur Wall Street telle une nonne sévère – comme pour rappeler aux profiteurs de la Bourse que les agissements terrestres ont des conséquences célestes. L'église est entourée de l'un des plus vieux cimetières de la ville, dans lequel reposent des New Yorkais célèbres comme par exemple Alexander Hamilton, qui connut un destin funeste dans un duel matinal avec Aaron Burr, ou Robert Fulton, l'inven-

Federal Hall

teur du bateau à vapeur qui faisait la navette entre South Street et Brooklyn.

Tout à côté de l'église, chaque matin à 9 heures, la **Banque de New York** (1 Wall Street), temple de la finance, ouvre ses portes à ses pieux serviteurs. Derrière la façade grise se cache le joyau Art Déco rouge et or d'une entrée étincelante en mosaïque. Moins spectaculaire mais tout aussi mythique, la **Morgan Guaranty Trust Company** (23 Wall Street), qui porte toujours les cicatrices d'une explosion à la bombe en 1920, encore inexpliquée à ce jour, qui fit 33 morts, des centaines de blessés et voler en éclats les fenêtres dans un périmètre de dix pâtés de maisons.

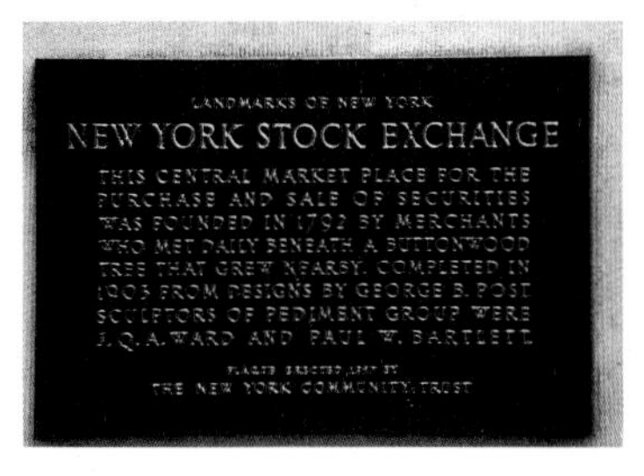

Si vous avez suffisamment honoré le dieu Mammon, une minute de méditation ne fera pas de mal dans **St. Paul's Chapel**, la plus vieille église de New York, à quelques rues plus haut dans Broadway. St. Paul's construite en 1776, est beaucoup plus modeste que Trinity Church, en parfaite harmonie avec le style néo-géorgien. Ici aussi, un cimetière s'étend derrière la chapelle, avec de magnifiques pierres tombales ciselées, oasis de paix inattendue entre les tours miroitantes du World Trade Center et le bruit assourdissant de la circulation.

Avec le **Woolworth Building** (233 Broadway), le magnat du supermarché Franck W. Woolworth a lui-même construit son mémorial. La tour néo-gothique, ornée de figures et de gargouilles allégoriques, est l'œuvre de Cass Gilbert. Le roi du libre-service bon marché dépensa 13 millions de dollars pour réaliser son rêve. Après l'achèvement des travaux en 1913, la tour resta pendant 16 ans l'édifice le plus haut du monde.

Devant la Woolworth Tower, le City Hall Park cache l'entrée du Pont de Brooklyn. Le **City Hall**, l'hôtel de ville, est une élégante demeure de 1811. Derrière, il y a la **New York City Courthouse**, mieux connue sous le nom de *Tweedhouse*, parce que le *boss* Tweed et ses comparses avaient encaissé des millions de pots-de-vin pour sa construction. Centre Street longe le Municipal Building et la US Courthouse en direction de Foley Square. Tournez à droite dans Worth Street, puis à gauche dans Mott Street et vous voilà dans un autre monde : **Chinatown**.

Il y a tellement de restaurants étonnants que vous ne pourrez absolument pas vous tromper. Le MANDARIN COURT (61 Mott Street), célèbre pour son ambiance accueillante, et ses *dim sum* extravagants, est un bon choix. Essayez aussi dans Chinatown la ICE CREAM FACTORY (65

Music Live au City Hall Park

Chinatown, Bayard Street

Bayard Street) : glaces au gingembre et aux haricots rouges...

Si vous assez d'appétit pour une petite aventure, le **Mon Bo**, le **Peking Duck** ou le **Wo Hop** (Mott Street) peuvent la satisfaire. Dans **Bowery**, on vous conseillera le **Hee Seung Fung**, le **Siver Palace** ou le **Vegetarians Paradise**.

Harlem

Un quartier autrefois mal famé, dans une perspective totalement nouvelle : les marchés de Harlem, les églises et les bâtiments historiques.

Pour beaucoup de ceux qui visitent New York, Harlem est synonyme de pauvreté, de criminalité et de violence – donc tabou. Mais les images de la télévision et des journaux ne racontent pas toute l'histoire de Harlem. Au milieu des rues en ruine, des scènes de drogue et de désespoir, s'épanouissent des communautés afro-américaines et latino-américaines, fières de leur quartier et de son histoire et de son architecture importantes. La tragédie de Harlem fait désormais partie de New York et toute visite de la ville est incomplète sans une incursion de l'autre côté de la 125ème Rue. Pour les touristes qui s'intéressent à la culture des Afro-américains, Harlem est un passage obligé.

Harlem est trop grand, et pour tout dire, également trop dangereux pour l'explorer seul et de son propre chef. **Harlem Spirituals** (Tél. 302-2594) et les **Harlem**

Renaissance Tours (Tél. 722-9534), tous deux entre des mains afro-américaines, proposent des visites bien équilibrée sà travers Harlem. Il faut réserver deux jours à l'avance. Le dimanche matin, le programme prévoit d'assister à un service religieux avec des gospels dans une église baptiste.

Entre autres curiosités, il faut voir les maisons de Strivers Row et de Sugar Hill, le **Hamilton Heights Historic District**, l'**Abyssinian Baptist Church**, où Adam Clayton Powell débuta sa carrière, et **La Marqueta**, un marché coloré au cœur de **Spanish Harlem** (Park Avenue entre la 111ème et la 116ème Rue). Le déjeuner est la plupart du temps compris dans les visites, sinon allez directement chez **SYLVIA'S** (328 Lenox Avenue, à côté de la 127ème Rue), la maîtresse de la *soul food*, la cuisine traditionnelle des états du Sud.

Après-Midi

Lincoln Center et Upper West Side

Balade dans Lincoln Cente; shopping sur Colombus Avenue et promenade à Riverside Drive; représentation au Lincoln Center et dîner tardif à Upper West Side.

Le Lincoln Center est la meilleure adresse de New York pour les manifestations artistiques. Mais attention : si vous voulez assister à un spectacle, il sera difficile d'obtenir des billets pour le jour même. Il y a certes des places debout et quelques billets invendus, mais il est plus sûr de réserver à l'avance. Mieux vaut téléphoner. Informations sur les programmes et les prix au 877-1800.

Les visites du complexe architectural ont lieu entre 10 heures et 17 heures, avec un départ toutes les heures, mais vous éprouverez autant de plaisir sinon plus (et vous économiserez et du temps et de l'argent) en suivant votre propre itinéraire.

La fontaine de marbre noir au milieu de la place est entourée de trois bâtiments principaux : droit devant, le **Metropolitan Opera**, avec deux peintures murales de Marc Chagall derrière la façade vitrée : *Le triomphe de la Musique* (à gauche) et *Les sources de la Musique* (à droite). L'ensemble de l'opéra se produit au Met entre septembre et avril, et de mai à juillet, c'est au tour de l'*American Ballet Theater*, récemment encore placé sous la direction de Mikhaïl Baryshnikov. Mises en scène somptueuses et artistes célèbres ont leur prix : les places assises, selon le spectacle, le jour et leur situation, coûtent entre 20 et 100 $.

A gauche de la fontaine, le **New York State Theater**, qui abrite le *New York City Opera* et le *New York City Ballet*. Tous deux sont un peu plus audacieux que le Met. C'est pourquoi les billets sont moitié moins chers. L'effort d'innovation est déjà visible dans la décoration. Au rez-de-chaussée, on peut voir un Jasper Johns et les statues de marbre d'Ellie Nadelman dans le foyer supérieur ont déclenché de vives polémiques.

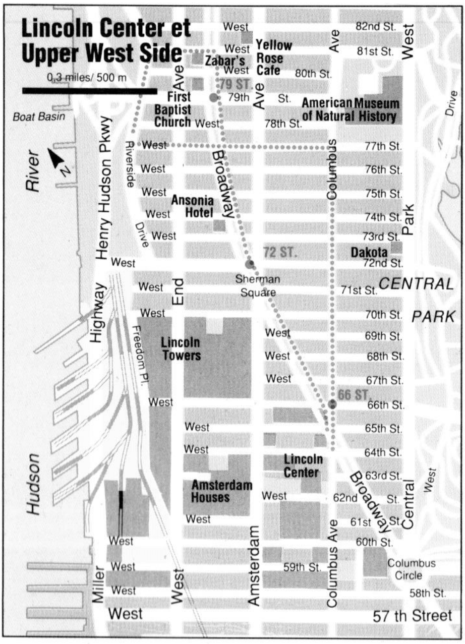

Enfin, à droite de la fontaine, il y a l'**Avery Fisher Hall** du *New York Philarmonic*. C'est ici que chaque année, en juillet et août, se déroule le très po-

Lincoln Center et Upper West Side

pulaire *Mostly Mozart Festival*. La sculpture métallique d'*Orphée et Apollon* dans le foyer est l'œuvre de Richard Lippolt.

Deux immeubles plus petits flanquent le Met. A droite, il y a le **Vivian Beaumont Theater** et une annexe de la bibliothèque municipale, la **New York Public Library**. Sur la place ombragée autour du bassin, les gens apportent des sandwiches à l'heure du déjeuner. La statue de bronze oxydée au milieu du bassin est une création d'Henry Moore et la sculpture d'acier décharnée à côté de l'entrée de la bibliothèque provient de l'atelier d'Alexander Calder. Le **Damrosch Park** s'étend à gauche du Met. En été, au **Guggenheim Bandshell** (un kiosque à musique), des concerts gratuits en plein air ont lieu à midi, mais quelquefois aussi le soir.

Au cours des dix dernières années, la zone insalubre au nord du Lincoln Center le long de Colombus Avenue a fait peau neuve et c'est aujourd'hui le paradis des yuppies. Comme toujours, on ne peut pas dénombrer toutes les boutiques et tous les restaurants, mais quelques uns méritent cependant une attention particulière. Pour les cas d'urgence, il y a trois restaurants à retenir sur Colombus Avenue : le RIKKYU (210) et le LENGE (202), deux restaurants japonais avec de bons sushis à des prix moyens, ainsi que le VICTOR'S CUBAN CAFÉ (240), célèbre pour ses plats épicés.

Quelques maisons plus loin, DAPY propose des articles kitsch en néon et céramique. Au bloc suivant, les bijoux de JERRY GRANTS brillent de

tous leurs feux, la collection avant-gardiste de ce côté-ci de Soho, avec des prix qui s'envolent plus haut que la stratosphère. A côté, **ARTESENIA** vend des vêtements faits main d'Amérique Centrale, pendant qu'un peu plus au nord, **COUNTRY OF COLOMBUS** met en vente un intéressant mélange de meubles et d'art populaire. Pour les âmes plus simples, le **LAST WOUND UP** a une collection incomparable de maquettes de jouets. On est sûr d'y trouver un petit cadeau pour les enfants. Au nord de la 74ème Rue, les boutiques de mode dominent. Une mention particulière pour les dessous de **FAUST** et les éclatantes couleurs latino-américaines chez **PUTUMAYO** (339 Colombus Avenue).

Quelques exemplaires des élégantes *Brownstones* et d'immeubles d'habitation de la grande bourgeoisie s'étendent dans le carré formé par la 77ème et la 81ème Rue, entre Colombus Avenue et Riverside Drive. Riverside Drive serpente le long de Riverside Park, créé par Frederic Law Olmsted, l'architecte de Central Park. C'est sans aucun doute l'un des plus beaux coins de la ville, qui réunit avec bonheur une architecture extraordinaire et une large vue sur l'Hudson. Dans leurs maisons flottantes du **Boat Basin** de la 79ème Rue, quelques New Yorkais aguerris affrontent toute l'année les éléments hostiles. Dans la 81ème Rue, à nouveau sur Broadway, vous vous trouverez soudain au milieu d'un théâtre permanent 24 heures sur 24, où tous les types et caractères de Upper West Side se donnent rendez-vous. Le jeune et dynamique banquier d'une société d'investissement rencontre ici la grand-mère avec son basset chez le marchand de légumes coréen. Les étudiantes de Colombia – blondes aux yeux bleus, aussi saines et américaines qu'une *apple pie* – et les maîtresses de maison cubaines se mêlent aux vendeurs de rues, aux artistes et aux mendiants.

En général, les achats ici ne sont pas aussi luxueux que sur Colombus Avenue. Mais il y a cependant quelques exceptions : **ZABAR'S** (2245 Broadway) est le magasin de gourmandise auquel se mesurent toutes les autres épice-

Upper West Side

ries fines (pardon Balducci's !). Beaucoup payeraient même pour entrer, pour juste jeter un coup d'œil sur les rayons pleins à craquer de curiosités toutes plus délicieuses les unes que les autres. Si on ne veut rien acheter, on peut se rassasier avec les yeux, ou se frayer un chemin vers les stands de dégustation.

A un jet de pierre de Zabar's, se trouve le **SHAKESPEARE & Co.**, la meilleure librairie du quartier. Les meilleurs *bagels*, bien épais et enrobés de fromage frais, sont fabriqués par **H & H BAGELS**, qui vend chaque jour 60 000 de ces choses trouées.

Shakespeare & Co.

Un peu plus loin en descendant Broadway, entre la 73ème et la 74ème Rue, se dresse l'**Ansonia**, la vieille dame des hôtels et des immeubles d'habitation de West Side. Elle n'a pas pris une ride depuis que Enrico Caruso, Igor Stravinsky, Arturo Toscanini et Theodor Dreiser, pour ne citer qu'eux, se sont jetés à ses pieds. De nouvelles boutiques au rez-de-chaussée cassent un

« Hans et Gretel » au Metropolitan Opera

peu l'ambiance, mais le toit mansardé, les encorbellements et les détails en terre cuite laissent encore voir la beauté des Beaux Arts qui n'a rien perdu de son élégance, malgré des circonstances fâcheuses.

Au sud de l'Ansonia, Broadway et Amsterdam Avenue forment un triangle connu sous le nom de **Needle Park** – à éviter absolument la nuit. Si vous avez encore un peu de temps, offrez-vous un expresso dans un des petits cafés chics à côté de Lincoln Center. Mais ensuite, allez vous reposer une heure à l'hôtel, pour bien vous préparer à la nuit de gala qui vous attend au Met.

Après la représentation, vous pouvez tester l'un des restaurants que vous avez remarqué dans l'après-midi, ou bien aller chez **ERNIE'S** une sorte de hangard yuppie avec de bonnes pâtes et des pizzas convenables (2150 Broadway, de 10 à 15 $ par personne). Au **DALLAS BBQ** (27 ouest 72ème Rue), on peut se rassasier avec de simples côtelettes, des poulets croustillants et des hamburgers à des prix sans surprises.

NEW YORK

Visite du Rockefeller Center et show à Broadway; dîner au Summer Garden Restaurant.

D'abord, un mot sur les billets de théâtre : si vous ne voulez pas faire indéfiniment la queue, vous avez intérêt à téléphoner à l'avance pour les commander. Attention : ces billets peuvent coûter très chers : 50 $ et même plus pour une place d'orchestre assise. Mais on peut aussi retirer des billets à prix réduits pour une représentation le jour même au TKTS-stand (47ème Rue et Broadway, ouvert de 15 heures à 20 heures le mercredi et le samedi, et de midi à 20 heures le dimanche). Commencez donc votre après-midi par faire la queue au **TKTS**. L'attente ne se fait pas trop sentir, car les fans qui font la queue avec vous sont amicaux et bavardent généralement volontiers. Et puis, vous ferez des économies non négligeables.

L'entrée principale du **Rockefeller Center** est située sur la Cinquième Avenue, entre la 49ème et la 50ème Rue. Le centre est aussi appelé « la ville dans la ville » et voici des chiffres pour confirmer : 240 000 personnes investissent chaque jour le centre – 60 villes américaines seulement comptent davantage d'habitants. Il y a 100 000 téléphones, 48 758 fenêtres de bureaux et 388 ascenseurs, qui parcourent 3 millions de km par an – soit l'équivalent de 40 tours du monde au niveau de l'équateur. A quoi il faut ajouter 3 km de galeries marchandes souterraines, 35 restaurants, 4 lignes de métro, 9 consulats.

Promethée au Rockefeller Center

La construction du Rockefeller Center a commencé en 1931. John D. Rockefeller avait acheté 5 hectares de terrain pour y construire une nouvelle salle de concerts pour le Metropolitan Opera, mais après le krach boursier de 1929, Rockefeller se retrouva soudain avec une perte de 3 millions de dollars par an. Il se résolut donc à édifier un complexe de bureaux et commanda les plans au groupement d'architectes *Associate Architects*. Le centre comprend aujourd'hui 19 bâtiments sur 9 hectares.

Pendant votre visite de Midtown, vous avez déjà vu la place principale. Nous allons donc commencer par le **GE-Building**, avec une remarquable fresque de pierre, le *Genius* (génie de l'univers), de Lee Lawrie au-dessus de l'entrée. L'énorme hall d'entrée est décoré de deux peintures murales de José Maria Sert, *American Progress* et *Time*.

En fait, les originaux sont l'œuvre du peintre mural mexicain Diego Rivera. Lorsqu'il refusa d'effacer le portrait de Lénine, Rockefeller le renvoya et la peinture murale fut détruite. Pour les fans de télévision, **NBC** organise des visites guidées dans ses studios de radio et

TV. La réceptionniste prend les inscriptions (suivez les indications pour la visite de la NBC). La visite dure environ une heure et comprend les studios dans lesquels *Saturday Night Fever* et *Today Show*, deux émissions très appréciées des Américains, sont produites. Les visites partent toutes les 15 minutes et elles sont vendues au moins une demi-heure à l'avance. En attendant, vous pouvez faire une petite promenade dans le *Concourse*, la galerie commerciale souterraine.

Après la visite, quittez le GE-Building par la sortie sur la Sixième Avenue, surmontée par l'optimiste mosaïque en verre de Barry Faulkner, *Intelligence Awakening Mankind*. Les quatres tours de bureaux de l'autre côté de la Sixième Avenue entre la 47ème et la 51ème Rue, datent des années 50 et 60. D'autres places, des cours secrètes et des œuvres d'art réussies n'arrivent cependant pas à mettre un peu de chaleur humaine dans ces bâtiments, comme celle qui, par exemple, habite le complexe d'origine. En outre, des vents glacials empoisonnent tout arrêt à l'ombre des géants.

En haut à droite, à l'angle de la Sixième Avenue et de la 50ème Rue, se trouve le mythique **Radio City Music Hall**, le plus grand théâtre du monde et le joyau du Rockefeller Center. L'intérieur surprend par sa splendeur baroque. Avec les deux lustres de deux tonnes chacun du *Grand Lobby* (ou foyer) qui mène à la salle de théâtre de noble apparence, le Music Hall est le nec plus ultra de l'extravagance Art-Déco. Même les toilettes sont des objets d'art. La peinture murale de Stuart Davis, qui décora autrefois les toilettes pour hommes, est aujourd'hui au Musée d'Art Moderne.

C'est lors d'une représentation que l'on apprécie le mieux le Music hall. Le spectacle de Noël est célèbre – les enfants s'amusent avec Saint Nicolas, les adultes préfèrent voir les *Rockettes*, une troupe de danse

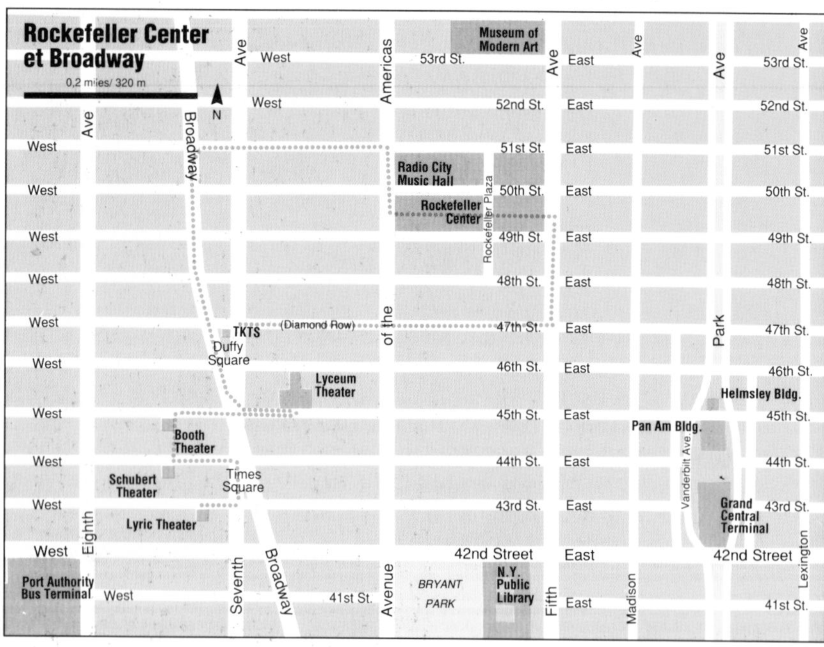

Radio City Music Hall

aux longues jambes qui fait concurrence aux horloges suisses et qui existait déjà aux débuts du Music Hall (mais ce n'est pas la formation d'origine !). En dehors de la période de Noël, les visiteurs ne doivent pas négliger la visite guidée, qui dure environ une heure, coûte 6 $ et commence toutes les demi-heures. Il est fortement conseillé de réserver, surtout le week-end et pendant la période de Noël. Informations au 247-4777.

Après la visite, vous pouvez soit retourner à l'hôtel, soit flâner encore dans le **Theater District** à Broadway. Au temps de sa splendeur, dans les années 20, de célèbres producteurs comme les frères Schubert ou David Belasco mettaient en scène environ 250 spectacles chaque année. Aujourd'hui, Broadway est régulièrement frappé par des crises et les billets d'entrée à 50 $ par personne sont monnaie courante.

Dans la 45ème Rue, le **Lyceum**, le plus vieux théâtre de Broadway, défie toutes les crises. Son élégante façade néo-baroque et son toit mansardé peuvent se mesurer à des designs plus récents. Toujours dans la 45ème Rue mais de l'autre côté de Broadway, on arrive à **Schubert Alley**. Le petit passage conduit au Schubert Theater et au Booth Theater, qui datent de 1913. **Sardi's**, autrefois LE restaurant des gens de théâtre, est tout à côté. Une rue plus loin sur Broadway, on passe devant le Paramount Building. Dans la 43ème Rue, la façade arrière du **Lyric Theater** donne une impression d'élégance oubliée – comme beaucoup d'autres théâtres.

Soirée dans le Theater District

Essayez de gagner votre place une demi-heure avant le début du spectacle. Après le show, il est l'heure d'un dîner tardif *al fresco*. Le **Summer Garden Restaurant** sur la place inférieure du Rockefeller Center est certainement le meilleur point d'orgue à une soirée réussie. Si le temps est mauvais, offrez-vous le **Sea Grill** ou l'**American Festival Café**, toujours sur la place (réservations !).

Les Nations Unies et Midtown Est

Une visite aux Nations Unies, suivie d'une promenade (avec naturellement un passage obligé au restaurant) à travers Midtown Est, comprenant le Chrysler Building, Grand Central Station, le Waldorf Astoria et l'AT & T Building.

Cette visite est placée sous le signe de deux spécialités new yorkaises classiques : l'architecture et la gastronomie. Elle commence par les **Nations Unies**, une obligation ou presque, mais pas aussi intéressante qu'on pourrait le croire. Architecturalement, le bâtiment est certes toujours aussi impressionnant, mais il est largement dépassé par des constructions plus récentes. En outre, les visites guidées sont passablement ennuyeuses.

Si vous vous intéressez aux relations internationales, ne manquez en aucun cas la visite. Si on peut trouver le moindre charme à cette assemblée de diplomates polis, on sera vite satisfait avec un rapide coup d'œil (ne pas oublier les boutiques cadeaux !). Les affamés et les curieux peuvent goûter à l'atmosphère internationale au **DELEGATE'S DINING ROOM**. La nourriture est convenable, mais des réservations sont indispensables.

Les visites guidées partent du hall d'entrée principal toutes les demi-heures. Elles durent environ une heure et coûtent 5,50 $ pour les adultes et 3,50 $ pour les enfants (dernière visite à 16 h 45). Quelquefois, les visiteurs peuvent assister à l'assemblée générale. Billets gratuits au bureau d'information.

Tout à côté des nations Unies, au coin de la 42ème Rue, un escalier raide, décoré de banderoles, conduit à **Tudor City**, un complexe d'appartements. Si on redoute les escaliers, on peut faire le tour du pâté de maisons car le prochain objectif est la **Ford Foundation**, à l'angle de la 42ème Rue et de la Deuxième Avenue. Derrière les murs gris s'abrite un magnifique atrium, d'une hauteur de deux étages, avec une végétation luxuriante. Le jardin, oasis de verdure dans Midtown, est un triomphe de l'architecture intérieure.

Quelques mètres plus loin, le *Daily News* est installé dans un beau gratte-ciel Art Déco. Dans le hall d'entrée, un énorme globe terrestre et une exposition sur les gros titres de l'**EXTRA ! EXTRA !**, un café à côté du hall d'entrée, éblouissant de propreté, sont l'occasion de faire une petite pause bien sympathique.

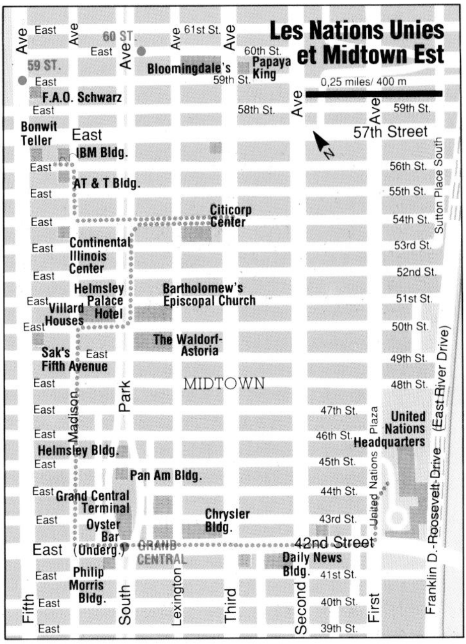

Les Nations Unies et Midtown Est

Le dernier restaurant à automates de New York se trouvait, jusqu'au printemps 91, à côté du Daily News, à l'angle de la Troisième avenue. Avant la victoire des *Big Macs*, les automates étaient très en vogue. Sandwiches et gâteaux étaient disposés derrière de petites vitrines. On glissait une pièce de monnaie dans la fente et aussitôt la vitrine s'ouvrait et on n'avait plus qu'à se servir. Le pain était ou paraissait un peu plus spongieux, rien n'avait pu remplacer l'automate des années 40. Si on était totalement fauché (et pour beaucoup de clients, c'était une évidence), on pouvait essayer le vieux truc de la soupe à la tomate : une tasse d'eau chaude, du ketchup, et le dîner était prêt ...

Tout à côté, au coin de Lexington Avenue, se dresse le **Chrysler Building**. En 1930, pendant de longs mois, ce fut le plus haut bâtiment du monde et dans le cœur de nombreux New Yorkais, il a toujours gardé la première place. Avec sa flèche d'acier, c'est le plus charmant emblème de la ville, un joyau Art-Déco avec tant de trouvailles originales que l'on ne peut tout simplement qu'aimer. Le hall d'entrée en marbre, les plafonds peints et les élégantes portes d'ascenceurs – le

L'immeuble de la Ford Foundation

Chrysler Building est plus qu'un building, c'est le symbole d'une époque.

Plus loin vers l'ouest dans la 42ème Rue, en passant devant le Grand Hyatt Hotel, vous arriverez à **Grand Central Station**, énorme gare style beaux-arts. Le hall principal mesure 46 mètres de haut et 145 mètres de long. Pendant la journée, la lumière se déverse par les immenses fenêtres en arc et la nuit, on est sous un ciel étoilé : toutes les galaxies, 2500 étoiles éclairent le plafond. La voûte du célèbre **OYSTER BAR** se trouve au niveau le plus bas. Il n'y a que les New Yorkais pour avoir installé l'un de leurs meilleurs restaurants dans une gare. Une demi-douzaine d'huîtres et une bière bien fraîche – mais pas besoin d'avoir faim – il faut vous offrir cela...Vous serez en bonne compagnie : tous les jours, 10 000 huîtres sont ouvertes ici.

De l'autre côté de la 42ème Rue, le **Philipp Morris Building** abrite une excellente annexe du **Whitney Museum** – un rapide tour d'horizon artistique avant l'aventure de Midtown East. Dans **Madison Avenue**, la poussée d'adrénaline de Manhattan est à sa plus haute intensité. C'est le New York typique : une ligne de gratte-ciel de verre étincelants, le défilé des taxis jaunes qui klaxonnent dans les rues et tout ce monde qui court, comme s'il était poursuivi par le diable en personne.

A l'angle de Madison avenue et de la 50ème Rue, juste derrière la cathédrale Saint-Patrick, se dressent les belles façades Renaissance des **Villard Houses**, qui contrastent fortement avec les cages anonymes à gauche et à droite. Tournez à gauche dans la 50ème Rue, puis à droite dans Park Avenue. Vous voilà devant la célèbre photo de calendrier : Park Avenue mise en valeur par le **Helmsley Building**, tandis que derrière, le colosse de tous temps détesté du **Pan Am Building** se dresse vers le ciel.

Le **Waldorf Astoria Hotel** occupe tout le bloc sur la 50ème Rue et Park Avenue. Tout comme le Radio City Music Hall, le Waldorf date des années de la dépression – d'où cette somptuosité Art-Déco. Un coup d'œil sur

Les gratte-ciel

l'entrée permet de comprendre la place importante occupée par l'élégance à cette époque.

Passant devant la coupole de **St. Bartholomew's Church**, on traverse la 54ème Rue vers Lexington Avenue, puis vers la Troisième Avenue, où se trouve l'entrée du **Market at Citicorp Center**. Jetez un œil vers le haut, cela en vaut la peine. Le toit triangulaire biseauté du Citicorp Building achevé en 1979 est l'élément le plus marquant de la ligne de gratte-ciel de Manhattan, tout comme l'Empire State Building ou le Chrysler Building. Les trois niveaux inférieurs sont conçus comme un centre commercial. Magasins et restaurants se rassemblent autour d'un atrium, dans lequel ont souvent lieu des concerts gratuits de musique classique. **Nybord & Nelson** offre des spécialités scandinaves, **Pan Am Phoenix** présente de l'artisanat latino-américain et on trouve des objets jeu-

Park Avenue et l'immeuble de la Pan Am

Eglise St. Bartholomew

nes et dynamiques pour la maison chez **Conran's.**

En sortant du complexe commercial par la troisième Avenue, on tombe sur le « **53rd At Third Building** », vulgairement appelé *Lipstick*, une tour ovale, terreur des lignes droites. Sur Madison Avenue et la 54ème Rue se dresse encore un exemple de l'architecture post-moderne : l'**AT & T Building**, moitié pyramide, moitié cheminée.

Totalement différent du sinistre AT & T, voici le deuxième géant de la haute technologie : l'**IBM Building** (56ème Rue et Madison Avenue). Le bloc de granit sombre, au milieu de la place éclatante, prend un air de sérénité.

Le promeneur fatigué peut s'y reposer et peut-être même écouter un quatuor à cordes. Une collection insolite d'œuvres d'art et d'ordinateurs **IBM Arts and Science Center** plaira sûrement aux passionnés de technologie (entrée par le hall principal). Une rude controverse éclata à propos du design éclectique de l'**AT & T Building** : un fronton Chippendale, un rez-de-chaussée Renaissance et malgré tout, un gratte-ciel moderne. L'effet est inhabituel mais c'est un effet ! Enfants et fanatiques de technologie trouveront l'**AT & T Infoquest Center** complètement dément. Si on a encore faim, on peut par exemple essayer l'un des restaurants suivants : le **Quilted Giraffe**, établissement très profilé sur l'AT&T Plaza, est bien installé, mais très haut dans l'échelle des prix.

Citicorp Center

Dans la catégorie « amusant et bon marché », il y a le **DINE-O-MAT**, un pseudo-restaurant des années 50, dans lequel des énormes portions compensent l'inconvénient d'un service parfois brutal (Troisième Avenue, à côté de la 57ème Rue Est).

Lower East Side

Shopping dans Orchard Street et dîner à East Village (mais pas le samedi !).

Lower East Side est le paradis de tous les chasseurs de soldes et de promotions. Des acheteurs très bien entraînés peuvent ainsi passer toute une journée à déambuler entre les stands surchargés et à fouiller coffres, rayonnages et porte-manteaux. Si vous aimez la bonne chère, les spécialités de la cuisine juive classique chez **RATNER'S** ou chez **BERNSTEIN-ON-ESSEX** devraient répondre à vos exigences.

« Pour l'art » à East Village

Avertissement à tous les aventuriers : Lower East Side est un quartier dur – pauvre, sale et parfois dangereux. Les avenues A; B; C; et D, appelées aussi **Alphabet City** (ou Loisida par les Portoricains), sont particulièrement mal famées. En revanche, quelques rues plus loin dans **East Village**, la misère se transforme en une sous-culture chic. C'est l'officine traditionnelle du mode de vie des écolos depuis l'époque d'Allen Ginsberg et des bons vieux Hell's Angels.

Avant de partir, arrêtez-vous à la **YONNAH SCHIMMEL'S BAKERY** (137 East Houston Street, à côté de Forsyth Street). Harmonie du corps et de l'esprit. Le décor a connu des jours meilleurs, mais les pâtisseries sont divines. Les spécialités de la maison (et surtout du Lower East Side juif) sont *knish*, tout simplement classiques, à base de pommes de terre, d'épinards ou de froment.

Tout en vous promenant, remontez Houston Street sur six blocs vers Essex Street – où vous pourrez repérer un petit snack pour minuit. Bagels croustillants chez **MOISHE'S BAGELS** (et les meilleurs gâteaux au chocolat, ou *brownies*, de toute la ville), tout à côté les fromages de la **BEN'S CHEESE SHOP** et le *lox*, saumon fumé coupé extrêmement fin, de **PRESS & DAUGHTERS**. L'épicerie fine **KATZ'S** est une véritable institution. A l'angle de Essex Street, l'offre est plus diversifiée et plus exotique.

Lower East Side

Bernstein-on-Essex est vraisemblablement l'unique *deli* juif/chinois du monde. Ici, on est et on mange tellement casher que même les serveurs chinois portent des *yarmulkes*. Le menu est intéressant, mais rien de comparable avec Chinatown. Mais les sandwiches au pastrami ne manquent pas d'originalité.

Les calories grimpent à la simple vue de l'**Economy Candy Market**, l'une des nombreuses boutiques de sucreries du quartier, à l'angle de Rivington Street. Quelques mètres plus loin, le vin de la **Shapiro's Wine Company**, dernier débit de vin casher, produit le même effet (visites guidées et dégustation gratuite le dimanche).

Retour dans Essex Street, où les stands ploient sous les marchandises à **Essex Street Market**. A gauche dans Delancey Street se trouve le **Ratner's Restaurant**, écrasant vainqueur pour ce qui est de l'insolence des serveurs (dans ce quartier, la concurrence est impitoyable) et pourtant, et de loin, l'un des cafés/restaurants les plus appréciés. Après un chausson au fromage de chez Ratner's, Orchard Street vous attend.

Attention, vous quittez le secteur bien ordonné ! Orchard Street est un bazar oriental, submergé d'acheteurs, de vendeurs et de marchandises. Il est impossible d'avoir une vue d'ensemble de ce chaos. Règle de survie n° 1 : marchander. Il ne faut pas s'attendre à ce que cela marche à tous les coups. Mais l'obstination finit par payer. Le pire qu'un vendeur puisse faire, c'est de vous dire non.

Dans les boutiques, on trouve des vêtements, des chaussures ou du tissu. Les bijoux sont bien cachés dans la ferraille. Alors ouvrez l'œil !

Si on en a le temps et l'envie, il faut faire un petit crochet par East Village. Depuis Orchard Street, descendre East Houston sur la gauche, puis remonter **Bowery** sur la droite. Pendant longtemps, Bowery a été le symbole de la décadence et de la misère humaine. Ajourd'hui, quelques yuppies aventureux ont rénové des lofts dans Bowery, mais à vrai dire, le quartier n'a rien perdu de sa mauvaise réputation. Ce n'est pas l'endroit qui convient pour profiter d'une tiède nuit d'été, c'est pourquoi empruntez la 4ème Rue Ouest, puis Lafayette Street à gauche et de là, à droite vers Uptown.

L'ambiance est plus détendue à l'angle de Lafayette Street et de la 6ème Rue, ou l'**Astor Library** du 19ème siècle a laissé place au **Joseph Papp's Public Theater**. En face, un autre joyau architectural a manqué la correspondance : la façade de marbre blanc de la **Colonnade Row** est aujourd'hui grise et écaillée. Sur Astor Place, en direction de St. Mark's Place, on passe devant l'**Alamo**, grand cube d'acier. L'énorme bâtiment brun sur la gauche est celui de la Cooper Union, collège érigé en 1858 par Peter Cooper pour accueillir les pauvres. En 1860, Abraham Lincoln tint ici son discours *Might makes Right* – un tournant dans sa candidature à la présidence.

St. Mark's Place, c'est l'artère principale de East Village. Ici, la sous-culture sort des caves pour respirer un peu d'air frais. Les radicaux chics avec une dose de politique de gauche occupent le devant de la scène. Nullités et « fringues » de cuir voisinent avec les librairies et les cafés « écolos », où toute cette faune vient pour voir et être vue. Plus on se rapproche de **Tompkins Square**, où l'on a construit une ville de toile pour les sans-abris – et plus le spectacle de la rue devient agressif et les graffitis violents. L'**ALPHABET** (115 Avenue A), avec ses jouets et ses articles de papeterie originaux, est de tendance totalement contraire. Dans l'**AVANIAN GALERIE** (149 Avenue A), on trouve normalement un art intéressant d'avant-garde.

Depuis l'Avenue A, tournez à droite dans la 7ème Rue et allez jusqu'à la Deuxième Avenue. Chemin faisant, vous découvrirez **EINSTEIN'S** (96 Est 7ème Rue), avec l'une des collections de vêtements et de bijoux les plus originales. Tournez à droite dans la Deuxième Avenue : à la 9ème Rue, **VELESKA** propose une bonne nourriture ukrainienne bon marché et des journaux ukrainiens. Les sandwiches au pastrami dans le **SECOND AVENUE DELICATESSEN** sont aussi légendaires que les acteurs juifs, dont les noms ornent le *Walk of Fame* devant la porte. Le **RECTANGELS,** en face, propose des spécialités du Proche-Orient, le **SUKHOTAI** des spécialités thaïlandaises, le **BANDITO** est un mélange de yuppie et de mexicain. Le **TIME CAFÉ** à côté est plus tranquille.

Avez-vous encore envie d'une bière fraîche et de compagnie masculine ? A la **MCSORLEY'S OLD ALE HOUSE** (7ème Rue, à côté de la troisième Avenue), l'entrée était encore interdite aux femmes en 1970. Aujourd'hui, c'est un pub apprécié des deux sexes, avec de la bière au tonneau et de la sciure de bois par terre.

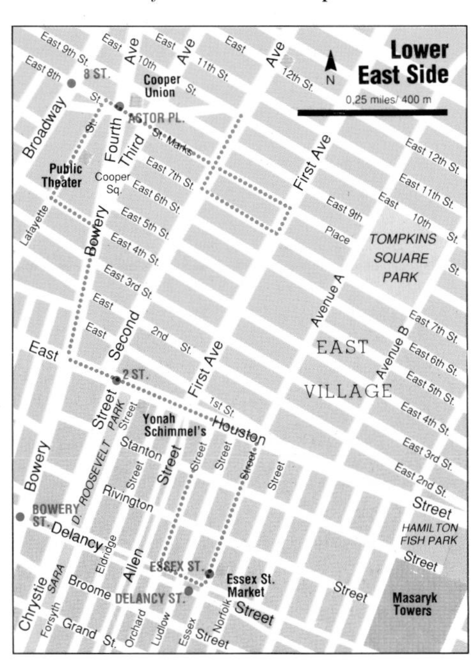

Tout simplement génial : Einstein

Greenwich Village

Shopping et architecture et pour finir, dîner et soirée dans un club.

Washington Square Park est le cœur géographique de Greenwich Village, avec son mélange d'étudiants, de dealers, de mères qui poussent des landaus et de sans-abris – miroir de la diversité de ce quartier animé.

La **New York University** domine la place. La plupart des nouveaux bâtiments abritent des salles de séminaires ou des bureaux administratifs. Grâce à Dieu, l'université a conservé les charmants townhouses sur **Washington Square North**, les seules maisons du 19ème siècle sur le parc, exception faite de la **Judson Memorial Church** sur le côté sud.

L'emblème de la place est le **Washington Arch** de Standford White, édifié pour le 100ème anniversaire de l'investiture de George Washington. C'est ici que commence la Cinquième Avenue, ainsi que l'élégante **Washington Mews**. Tournez à gauche dans la 8ème Rue, en direction de la sixième Avenue.

Il n'y a pas si longtemps, la **8ème Rue** était la rue « in » du Village. Aujourd'hui, elle a sombré dans une sorte de médiocrité malpropre, qui satisfait surtout les envies pubertaires de T-shirts de Heavy Metal et de drogue. Mais il semble que les choses soient en train de s'améliorer. Récemment, quelques magasins de vêtements de cuir « post-punk », de chaussures d'avant-garde et quelques bonnes boutiques s'y sont installées.

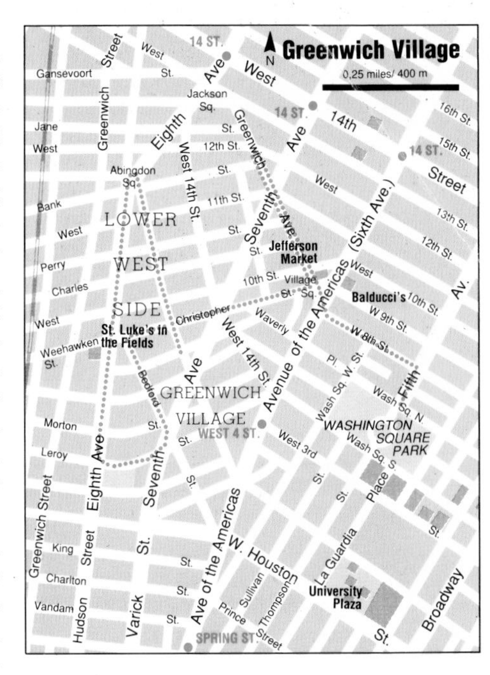

Depuis le carrefour de la 8ème Rue et de la 6ème Avenue, appelé aussi Village Square, on aperçoit la **Jefferson Market Courthouse**, un château de contes de fées, auquel il ne manque plus que des douves et des fleurs aux fenêtres.

Cette beauté victorienne de 1877 servait autrefois de palais de justice et de prison. En 1960, grâce à une initiative de la municipalité, elle fut sauvée de la destruction. Elle abrite aujourd'hui une annexe de la New York Public Library.

L'épicerie fine **Balducci's** (424 Sixième Avenue, à côté de la 9ème Rue) est la réponse du Village à Zabar's dans Upper Westside. Impossible de dire laquelle des deux est la meilleure. Les senteurs à elles seules valent une visite.

De l'autre côté de la sixième Avenue, la 8ème Rue devient **Greenwich Avenue**, une bonne adresse pour les antiquités, les meubles et les galeries. **Be Seated** à l'angle du Perry Street propose un choix d'art populaire et de corbeilles tressées main et **Pottery Barn**, avec ses objets modernes pour la maison, est tout à côté.

Common Ground s'es[…] les bijoux très coloré[…] et à quelques pas de l[…] se distingue par ses m[…]

Le parc de Washington Squ[…]

Repas design chez Balducci's

de faïence et sa vaisselle faits main, dans le style *South of the Border*. Si vous avez bien exploré le terrain, dirigez-vous tranquillement dans **Christopher Street**, le centre de la scène gay.

L'atmosphère est amicale et ouverte, mais nettement plus agressive vers Hudson Street, surtout la nuit. On trouve de magnifiques meubles Art-Déco chez **BELLARDO** dans Christopher Street. **EXOTICA**, petite boutique installée dans une cave, est très appréciée de la scène New Age à cause de son mélange éclectique de l'art traditionnel.

Si on tourne à gauche dans Bedford Street en quittant Christopher Street, on se retrouve au milieu d'un quartier d'habitation paisible, que l'on a du mal à imaginer dans une ville aussi fiévreuse. **CHUMLEY'S**, le bar sélect à l'angle de Barrow Street, était à l'époque de la prohibition, un *speakeasy*, une taverne clandestine et il est aujourd'hui particulièrement fréquenté par les amateurs de littérature.

Sur la Septième Avenue, on arrive à **St. Luke's Place**, une des adresses les plus recherchées en ville. Jimmy Walker, le maire heureux de vivre de la grande époque du jazz, habita au n° 6.

Juste après le tournant à droite, c'est Hudson Street. L'establishment jeune et libéral s'est installé dans les magnifiques townhouses. Comme les enfants du quartier sont issus de ces cercles très fermés, on y trouve une étonnante librairie pour enfants, **BOOKS OF WONDER**. L'église sévère et colossale de **St. Luke's in the Fields** date de 1822 et c'est donc l'une des trois plus anciennes églises de New York.

Un peu plus loin, la marquise verte de la **WHITE HORSE TAVERN**, autrefois fréquentée par Dylan Thomas, attire l'œil – et les clients – en-

tre deux élégantes boutiques d'antiquités. Hudson Street et cinq autres rues se croisent au nord de la 11ème Rue, Abingdon Square. Sensiblement sur la droite, se trouve **Bleecker Street**, la dernière étape de ce promenade/shopping dans le Village. Nous sommes toujours dans le quartier des antiquaires, mais là, à l'exception de la **BIOGRAPHY BOOKSTORE**, à l'angle de la 11ème Rue.

Quelques portes plus loin, **VEEN & POL** ont empli leur boutique grande comme un placard jusqu'au plafond de céramiques et de corbeilles faites main. **SUSAN PARRISH** et **CYNTHIA BENEDUCE** proposent toutes deux un choix inspiré de meubles anciens et d'art populaire américain.

A proximité de **Charles Street**, **PIERRE DEUX** s'est spécialisé dans les antiquités françaises, pendant que **EASTERN ARTS**, comme son nom l'indique, s'intéresse à l'art asiatique. **KELTER/MALCE** ne sont pas simples à classer géographiquement, car c'est plutôt un style solide et terre-à-terre. New York est une vraie mine de vêtements d'occasion – que l'on trouve surtout chez Dorothy's et chez Chamelon. **DOROTHY'S** propose des vêtements plutôt frivoles alors que **CAMELON** s'intéresse plutôt à la nostalgie kitsch.

Jefferson Market

Mais le temps passe et c'est bientôt l'heure de dîner. Dans Bleecker Street, entre la Sixième et la Septième Avenue, petits restaurants italiens et boulangeries se succèdent sans interruption. Deux au moins sont à retenir : **CUCINA STAGIONALE** (275 Bleecker Street, à côté de Jones Street), n'a rien de remarquable en soi, mais la nourriture est tellement bonne et si bon marché qu'il est impossible de l'ignorer. C'est d'ailleurs le cas de beaucoup de New Yorkais car à partir de 19 heures, on fait déjà la queue.

Si vous êtes un vrai puriste des pâtes, vous trouverez votre temple à la **TUTTA PASTA** (26 Carmine Street). Le décor est agréable, les prix raisonnables et les pâtes divines.

Si vous n'êtes pas venu à New York pour manger italien, allez chez **TOONS**, un restaurant thaïlandais tranquille, l'endroit idéal pour se détendre après une promenade fatigante. Beaucoup plus terre-à-terre, le **COWGIRLS HALL OF FAME**, avec ses côtelettes au barbecue, ses steaks de volaille et autres solides spécialités texannes.

Après le dîner, vous pouvez prendre un expresso à la terrasse du **CAFFE BORGIA** (à l'angle de Bleecker Street et de MacDougal Street), pour contempler encore un peu le spectacle de la rue, avant de vous préparer à une longue nuit dans l'un des clubs de jazz des environs.

Samedi à Soho

Flânerie dans les boutiques et les galeries; découverte de l'architecture en fonte de Soho, avant de dîner.

Soho est le quartier le plus intéressant de la ville. C'est aussi simple que cela. Dans les années 60, des artistes ont investi l'ancienne zone industrielle, qui s'est transformée en une Mecque de la culture avant-gardiste et de l'establishment. Entre les galeries, les boutiques et l'architecture *cast-iron*, il y a suffisamment de choses à voir et à faire pour une semaine. Cette promenade doit être pour vous l'occasion de découvrir Soho en suivant votre propre feeling. Prenez le temps, habituez-vous, acceptez Soho comme il est : une aire de jeu pour gens riches et chics. Le samedi est le meilleur jour pour visiter Soho. Les galeries sont ouvertes et la vie de la rue est particulièrement animée. Pendant votre visite de Downtown, vous avez déjà découvert West Broadway, c'est pourquoi nous allons aujourd'hui commencer par **Greene Street**, le cœur du **Cast Iron Historic District.** Deux fleurons de ce mode de construction en fonte sont situés au **n° 28–30** (entre Canal street et Grand Street) et **n° 72–76** (entre Broome et Spring).

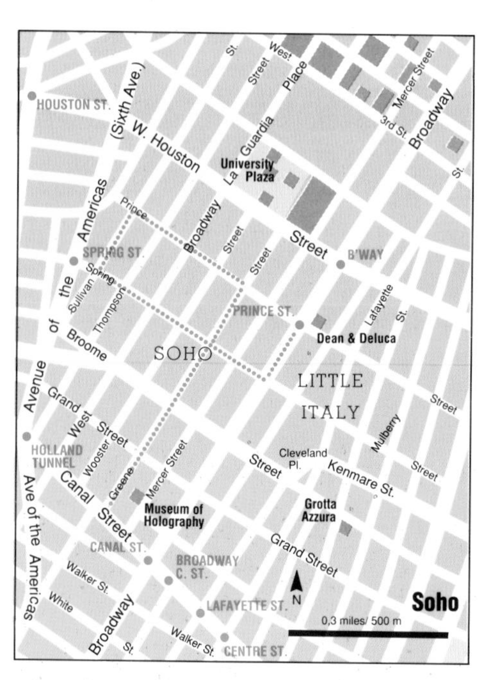

Par leur amour du détail, tous deux rappellent les palazzi italiens. Tout comme les autres bâtiments cast-iron du quartier, ils furent aussi construits à la fin du 19ème siècle, époque à laquelle Soho, de quartier d'habitation agréable, devint zone industrielle.

Les propriétaires des usines utilisèrent des structures de fonte préfabriquées pour construire leurs entrepôts et ateliers. La méthode était non seulement rapide et bon marché, mais aussi de belle apparence. Le métal pouvait prendre toutes les formes possibles et permettait d'autres enjolivures architecturales comme avec la pierre.

Dans Greene Street, on trouve quelques boutiques intéressantes : **Craft Caravans** importe de l'artisanat africain et **Zona** vend des ustensiles pour la maison. Galeries conseillées : **M-13** (72 Greene Street), **Heller Gallery** (71 Greene Street) et **The Australia Gallery** (111 Greene Street).

Ouverture pour la nuit

A droite dans **Prince Street**, on peut voir trois boutiques extravagantes : **Tehen**, **Tootsie Plohound** et **Agnes B**. proposent de la lingerie délicate, des chaussures voyantes et des vêtements élégants. Si on apprécie le style Santa-Fé, chez **Americana West** (Wooster Street), on trouvera certainement quelque chose qui corresponde à ses goûts. Dans Prince Street encore, **Susan P. Meisel Objets d'Art Gallery** offre de vieux jouets, des maquettes de bateau et des bijoux d'un artisanat extraordinairement beau.

Les cartes postales de chez **Untitled Art Books & Postcards**, de l'autre côté de West Broadway, sont bien trop belles pour être envoyées. **Mood Indigo** est rempli de kitsch culinaire Art Déco, y compris une collection démente de moules à gâteaux. Avec ses vêtements « flippants », **Betsy Johnson**, dans Thompson Street, n'a pas tardé à se faire un nom.

Tournez à gauche dans **Sullivan Street** et encore à gauche dans **Spring Street**. Risqué chez **Soho Zoo**, coloré chez **Putumayo** et celtique chez **Irish Secret**. Un petit marché de rue, bien achalandé en vêtements, sacs et bijoux, s'est ouvert à l'angle de Spring Street et de Wooster Street. Un peu plus loin, la **Grass Roots Gallery** expose de l'art populaire latino-americain et cubain. Si on a largement fait le tour des galeries et magasins d'antiquités restants, rendez-vous chez **Dean & DeLuca**, le temple des gourmets de tous bords. Décrire les étalages est un blasphème, car chaque tomate exposée est une œuvre d'art

Les escaliers de Greene Street

en soi. D & D se situe au sud de l'angle de Broadway et de Prince Street, tout à côté du **Little Singer Building**, un autre chef d'œuvre de l'architecture cast-iron. Votre faim artistique n'est pas encore apaisée ? Très récemment, quelques galeries étonnantes, par exemple au n° 560 et au n° 568, se sont installées à Broadway.

Mais les vétérans et les locomotives en matière de galeries se trouvent cependant à West Broadway : **Leo Castelli, O.K. Harris** et **Mary Boone** déterminent le marché de l'art. Si on est à la recherche de quelque chose de plus déterminant, il faudra consulter l'édition dominicale du *New York Times* ou du *Gallery Guide*.

A côté des galeries commerciales, il reste encore trois musées à voir dans le quartier : le **Museum of Contemporary Hispanic Art** (MoCHA, 548 Broadway), le **Museum of Contemporary Art** (583 Broadway) et l'**Holography Museum** (11 Mercer Street). N'importe quel estomac gargouillant peut être calmé à Soho. Que vous soyez fatigué ou

encore en pleine forme, allez prendre une bière bien fraîche à la **Manhattan Brewing Company** (40 Thompson Street), puis allez dîner, un peu luxueusement mais léger, au **Cupping Room Café** (359 West Broadway), au **Wet Paint** (478 West Broadway) ou au **Jerry's** (101 Prince Street). La **Pâtisserie Lanciani** (177 Prince Street) est de toute première classe.

Avant d'aller vous coucher, peut-être encore une *Caipirinha* à l'**Amazonas**, un restaurant brésilien avec bar et musique chaleureuse jusqu'aux premières heures du petit matin (492 Broome Street).

Les Cloîtres

Visite des cloîtres et dîner à Upper West Side.

La ville peut être extrêmement éprouvante pour les nerfs – excellent prétexte pour une échappée vers les **cloîtres** de **Washington Heights**. Les cloîtres sont une émanation du Metropolitan Museum of Arts, avec une attention toute particulière à l'art et l'architecture du Moyen-Age. Les expositions sont intégrées au bâtiment lui-même, constitué de cloîtres et d'églises du 12ème siècle. Le résultat est un mélange réussi d'ancien et de nouveau, qui semble cependant respirer l'atmosphère tranquille d'un cloître du Moyen-Age. Le repos méditatif est aussi éloigné du trépident Manhattan qu'une plongée au plus profond de l'océan.

Tout comme un château moyenâgeux, les cloîtres se dressent au-dessus de la cime des arbres de **Fort Tyron Park**, surplombant l'Hudson. Ils ont été construits par John D. Rockefeller pour le Metropolitan Museum of Arts. La partie principale de l'ensemble a été réunie par George Bernard, un sculpteur américain qui a sauvé son trésor de ruines, de villages et même d'étables à cochons. Le musée fut inauguré en 1938 et aujourd'hui encore, c'est l'une des plus étonnantes collections moyenâgeuses.

Le cœur du musée est constitué par le **cloître Cuxa**, partie d'un cloître de bénédictins français du 12ème siècle. Le jardin potager moyenâgeux est entouré d'un passage voûté avec des chapiteaux romantiques, richement décorés d'animaux fabuleux. Aux conver-

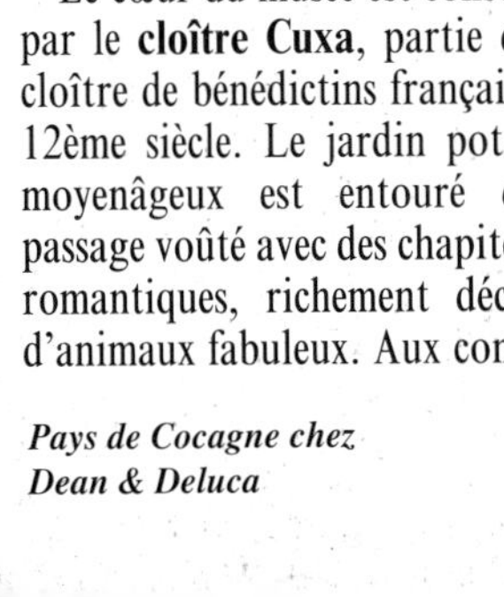

Pays de Cocagne chez Dean & Deluca

sations feutrées répondent les doux accents de vieux madrigaux et en été, on peut même voir des musiciens en costumes.

Les expositions sur le cloître Cuxa se présentent selon un ordre relativement chronologique. Le hall d'entrée est de style roman, avec des portails monumentaux espagnols et français du 12ème siècle. Deux grandes chapelles sont décorées de fresques du 12ème, d'un magnifique autel à baldaquin sculpté et d'une rare *Madone à l'Enfant* en bois. A côté est accrochée la pièce la plus célèbre du musée, la *Tapisserie de la Licorne*, sur laquelle est représentée l'allégorie complexe de l'amour courtois et des mystères chrétiens dans la légende détaillée et imagée d'une licorne prisonnière.

Au sous-sol, on pénètre dans une **chapelle gothique**, dans laquelle veille un croisé en armure, les mains jointes en prière, sur la tombe d'un Grand d'Espagne. Depuis deux autres galeries du sous-sol, on a une vue magnifique sur l'Hudson et les *Palisades* de la rive du New Jersey. Rockefeller aimait tant ce panorama qu'il acheta toute la région alentour, afin qu'aucune construction ne vint détériorer le paysage. Le **Treasury,** chambre du trésor, se trouve au même niveau et contient de superbes petites pièces, comme par exemple des éventails liturgiques décorés de pierres précieuses, des reliquaires ciselés, des coupes et des panneaux de chêne chantournés. On peut aussi admirer quelques pièces de collection extraordinaires, comme un magnifique livre d'heures que les moines utilisaient pour leurs tâches et leurs prières quotidiennes, ainsi qu'un rosaire du 16ème siècle, ciselé dans les moindres détails.

Comme le musée est assez loin de la ville, il est conseillé de déjeuner d'abord à proximité de votre hôtel. Si l'argent vous importe peu, vous pouvez prendre un taxi jusqu'aux cloîtres. Ou bien la ligne A du métro à travers Harlem jusqu'à la 190ème Rue. Prenez l'ascenseur pour remonter au niveau de la rue et de là, allez à pied. Le bus n° 4 part d'East Side jusqu'à l'entrée du musée, un long trajet, mais qui permet de voir une partie de la ville.

Tavern on the Green

Si vous prenez la ligne A du métro pour rentrer, vous pouvez dîner au **Teachers Too** (2271 Broadway entre la 81ème et la 82ème Rue), un classique du genre pour les hamburgers, le poulet et le poisson frits, avec une petite touche asiatique. Le métro ne s'arrête pas à la 81ème Rue, il vous faut donc descendre à la 86ème ou à la 72ème Rue et faire le reste du trajet à pied. Si vous ne voulez pas encore vous replonger dans la cohue de la ville, vous pouvez prolonger votre excursion par un dîner à la **Tavern on the Green**, à Central Park (à côté de la 67ème Rue Ouest). Par les douces soirées d'automne, la cour intérieure est un délice, quant à la nourriture, on prétend que compte tenu des prix – donc élevés – elle pourrait être meilleure. Comme d'habitude, ne pas oublier de réserver.

Paix divine

Excursions

Les Hamptons

East-, **South-**, **West-** et **Bridgehamton** s'étendent sur la côte sud de Long Island, à environ 240 km de Manhattan. Les Hamptons sont connus pour être la villégiature estivale de la jet-set new yorkaise, mais c'est aussi des plages magnifiques et une colonie d'artistes très active. Si on ne bronze pas sur la plage, on passe son temps à faire des achats à South- ou Easthampton, où boutiques et restaurants se succèdent et où tout est deux fois plus cher qu'ailleurs.

Abstraction faite de l'aspect financier, les Hamptons représentent une excursion idéale pour deux jours de détente. Comme c'est relativement loin de New York, vous devez prévoir d'y passer une nuit. Il est extrêmement difficile de trouver une chambre d'hôtel en juillet et août et vous avez donc tout intérêt à réserver longtemps à l'avance. Pour qui ne veut pas griller sous un soleil d'enfer, on conseillera juin ou septembre, quand le temps est plus doux et qu'il y a moins de touristes.

Une maison dans les dunes aux Hamptons

La voiture est le meilleur moyen pour aller aux Hamptons. Vous trouverez très facilement à en louer une à proximité de votre hôtel new yorkais.

Autre moyen de transport : le train, direction Long Island à partir de **Penn Station** (31ème Rue et Septième Avenue) – ou les bus Greyhound à partir de **Port Authority Bus Terminal** (42ème Rue et 8ème Avenue).

Les Catskills

Les **Catskills** sont une chaîne montagneuse splendide et très boisée à environ 160 km au nord de Manhattan. La ville la plus intéressante est Woodstock, célèbre colonie d'artistes et aujourd'hui pôle d'attraction touristique. C'est à **Woodstock** qu'eut lieu le gigantesque concert rock des années 70, auquel une ferme distante d'une centaine de kilomètres donna son nom. Dans la petite ville, on peut faire des repas convenables et des achats intéressants et c'est aussi un point de départ pour **Catskill Park**, avec ses chemins de randonnée et ses terrains de camping. Le paysage est particulièrement beau à l'automne, quand le vert des feuilles se change en une débauche de rouges et d'ors.

Les Catskills sont un paradis pour les skieurs. **Hunter Mountain** propose 30 pistes, divers hôtels et bureaux de location de skis. Les week-end sont généralement très pleins, mais en semaine, il règne un calme agréable. Malgré tout, vous avez intérêt à réserver à temps. Informations au **Hunter Mountain Lodging Bureau** (Tél 516-263-4208).

La voiture reste le moyen le plus pratique pour gagner les Catskills. Compte tenu de la distance, prévoyez d'y passer une nuit. Peut-être vous plairez-vous tellement dans la forêt que vous voudrez prolonger votre séjour. Vous trouverez cartes, guides et informations hôtelières au **Green Country Promotion Department** (Tél 518-943-3223).

Tarrytown et West Point

A environ une heure et demie de voiture de Manhattan, sur la rive est de l'Hudson, se trouve **Tarrytown**, où vous pouvez visiter quatre sites historiques : Washington Irving's **Sunnyside, Lyndhurst Mansion** qui date du 19ème siècle, **Philipsburg Manor** qui remonte au 18ème et **Van Cortlandt Manor** aux environs de Cronton-on-Hudson. On accède à Tarrytown par l'**US Highway 9,** ou bien, si on ne craint pas la marche à pied, par le train depuis Grand Central Station (42ème Rue et Park Avenue). Informations au 914-631-8200.

Sur l'autre rive de l'Hudson, à environ 24 km plus au nord, se trouve l'**académie militaire de West Point**, une école d'officiers fondée en 1802. La visite du centre, du West Point Museum, de la chapelle et des bâtiments de l'école donne une idée de la vie dure de ces cadets d'élite. Informations et moyens d'accès au 914-938-2638. Si vous vous mettez en route assez tôt, vous serez de retour en ville à temps pour un dîner tardif.

Le Zoo du Bronx

Avec ses 107 hectares, le zoo du Bronx est le plus grand des USA et certainement l'un des meilleurs. La plupart des animaux vivent en liberté, dans des espaces qui reproduisent leur milieu naturel – parmi lesquels un désert où des éléphants indiens, des antilopes, des tigres et des rhinocéros vont et viennent devant les yeux étonnés des visiteurs protégés par une barrière de sécurité. Il y a aussi des imitations fidèles des forêts tropicales et des hauts plateaux de l'Himalaya, ainsi que d'intéressantes réserves d'animaux nocturnes, un bâtiment pour les reptiles, des volières et un zoo pour enfants.

La meilleure époque pour visiter le **zoo** se situe entre mai et septembre, car certains animaux ne supportent pas le froid et des attractions comme le monorail sont fermées pendant l'hiver. Le zoo est ouvert du lundi au samedi de 10 heures à 17 heures et le dimanche jusqu'à 17 heures 30. Entrée 2,50 $ pour les adultes et 1 $ pour les enfants. L'entrée est libre pour les gens âgés de plus de 65 ans et les enfants de moins de deux ans.

Le **New York Botanical Garden** s'étend tout à côté de l'entrée principale du zoo. Si vous vous intéressez à la botanique ou si vous appré-

ciez tout simplement les plantes, vous pouvez passer des heures à les contempler.

C'est avec le **subway** que l'on accède le plus rapidement au zoo, l'express 2 jusqu'à **Pelham Parkway**, ou l'**express 5** jusqu'à la **180ème Rue**, où il faut reprendre le n° 2 vers Pelham Park.

Atlantic City

Atlantic City possède l'unique casino (légal) de la côte Est et aussi de belles plages. Comme à Las Vegas, les casinos « glamour » ruissellent de lumière. Celui qui est passionné par le jeu ou qui veut tout simplement flâner sur le célèbre Board Walk (promenade en planches de 8 km de long), devra entreprendre un voyage de 2 heures et demie le long de la Côte du New Jersey.

Le bus est le moyen le moins cher de se rendre à Atlantic City. Greyhound et Gray Lines proposent à peu près la même chose : vous payez entre 20 et 25 $ pour un aller et retour, mais vous gagnez au casino des « chips » (petite monnaie) et de l'argent liquide pour le même montant ou presque.

Tant et si bien que le voyage ne vous coûte que quelques dollars. Votre facture représente ce que vous perdez sur les tables de jeu et dans les automates (car bien évidemment, les casinos vous font gagner moins d'argent que vous n'en gagnez).

Informations sur les Greyhound au 1-800-971-6363, ou au 1-800-397-2620 sur les Gray Lines.

Si vous allez à Atlantic City en voiture, il faut prendre le **Lincoln Tunnel** ou le **Holland Tunnel** en direction de **New Jersey Turnpike South**, et de là, le Garden State Parkway jusqu'à **Exit 38.** Ensuite, suivre les indications.

Restaurants et Bars

Sortir pour manger est une composante essentielle de l'expérience new yorkaise. La quantité incroyable et la qualité des restaurants font de New York la capitale mondiale de la gourmandise. On peut facilement passer des semaines à aller d'un restaurant à l'autre sans jamais savourer toute la palette des goûts. Pas de doute, manger est un des grands plaisirs de New York, beaucoup plus que le simple fait de se nourrir.

Manger est un acte social, inséparable du rythme et de la musique de la vie quotidienne. Manger fait partie de la culture et c'est un moyen de la découvrir joyeusement. Qu'il s'agisse d'une spécialité de potage aux nouilles dans Chinatown, du dernier yuppie-hit dans Upper West Side, ou d'un temple de la gastronomie cinq étoiles sur la Cinquième Avenue, les restaurants new yorkais sont toujours l'occasion rêvée d'observer de très très près les autochtones. Avant de vous lancer dans votre première aventure gourmande, voici quelques conseils : d'abord,

Manhattan Brewing Company

Déjeuner à la Tour Trump

qu'une chose soit bien claire, il faut de l'argent. Et pas seulement de la petite monnaie. Selon les goûts, un restaurant peut être très cher. Dans les établissements distingués, il faut compter en moyenne 50 à 80 $ par personne. Et dans la catégorie intermédiaire, on atteint vite 30 à 50 $. Mais rien à craindre, que celui qui veut découvrir New York avec un petit budget se rassure.

Chinatown, Little Italy et Lower East Side sont les meilleurs quartiers pour les tavernes bon marché, mais aussi les restaurants indiens de la 6ème Rue Est qui, avec les bons allemands et hongrois de Yorkville et les coffeeshops, affichent des prix bas. En général, le déjeuner coûte moins cher que le dîner, mais dans Midtown surtout, beaucoup de restaurants proposent des *pre-theater specials* abordables parmi des menus autrement plus chers.

La deuxième règle d'or est celle-ci : **les réservations sont indispensables !** C'est valable pour tous les restaurants, à l'exception des (éternelles) restaurations rapides et cafeterias. Si l'on veut voir le nouveau restaurant « in » dont tout le monde parle, il est conseillé de réservé une table plusieurs jours à l'avance.

Même en ayant réservé, il peut arriver que vous deviez attendre (un petit pourboire au « Maître-D », le placeur, raccourcit beaucoup l'attente. Le surbooking est à l'ordre du jour, tous les jours. La méthode garantie pour éviter les queues consiste à manger en dehors des heu-

res de grande affluence. C'est pourquoi ce livre recommande à ses lecteurs un déjeuner tardif ou un dîner avant l'heure.

Troisième règle, peut-être la plus importante : manger à New York procure un plaisir double, pour peu que l'on aime l'aventure. Si le bifteck frites représente toute l'étendue de vos goûts, attendez-vous à avoir un choc. Qu'il s'agisse de cuisine nationale inhabituelle (avez-vous déjà mangé éthiopien ?), de combinaisons bizarres (cubain/chinois, indien/mexicain, juif/italien), à Manhattan on peut se permettre toutes les fantaisies gastronomiques. Pour compléter le choix proposé dans les visites guidées, voici encore quelques restaurants, la plupart à prix moyens, y compris quelques bons conseils pour un « sunday brunch », une tradition fort appréciée à New York.

Downtown

Abyssinia
35 Grand Street
Tél. 226-5959
Cuisine éthiopienne raffinée dans une ambiance agréable. Une bonne adresse pour un dîner détendu.

Arqua
281 Church Street
Tél. 334-1888
*Restaurant nouvelle vague chic, fréquenté par la population chic de TriBeCa (*Triangle Below Canal, *quartier favorisé). La cuisine est excellente, pas vraiment bon marché, mais chaque dollar dépensé en vaut la peine.*

Benny's Burritos
113 Greenwich Avenue
Tél. 633-9210
Taverne bon marché et tout ce qu'il y a de classique dans West Village. Après quelques Benny's overstuffed *(farcis), plus besoin de manger pendant au moins une semaine.*

Dojo
24 St. Mark's Place
Tél. 674-9821
Nippon-californien avec une forte touche East Village. Terrasse avec vue imprenable sur le spectacle de la rue. Bon marché.

Indochine
430 Lafayette Street
Tél. 505-5111
Restaurant vietnamien, où la classe chic de East Village et de Soho se retrouve pour voir et être vue.

La Luna
112 Mulberry Street
Tél. 226-8657
Italien bon marché sans pour autant compromettre la qualité. Au cœur de Little Italy. Pour les petits budgets.

Mamouns's Falafel
119 MacDougal Street
Tél. 674-9246
La meilleure boutique de falafels à l'ouest du Caire. Avec un sandwich-falafel à la main, le Village paraît encore meilleur.

Manhattan Chili Co.
302 Bleecker Street
Tél. 206-7163
Agréable, bon marché, avec six sortes de chili. Goûter absolument la soupe aux haricots noirs. Le must !

Miracle Grill
112 First Avenue
Tél. 254-2353
Un peu de Santa-Fé à East Village avec des plats intéressants du sud-ouest des Etats-Unis et un beau jardin.

Mitali
334 East 6th Street
Tél. 533-2506
Repas indiens raffinés à des prix abordables. Sans doute le meilleur Indien de et autour de la 6ème Rue.

Odeon
145 West Broadway
Tél. 233-0507
La classique taverne de TriBeCa. La clientèle est détendue, les prix sont élevés. Après minuit et aussi pour le brunch dominical.

Puglia
189 Hester Street
Tél. 966-6006
Bruyant, insolent, amical et bon marché. Tout le monde s'assoit ensemble, chacun parle ou chante. Pas vraiment l'endroit idéal pour un tête-à-tête, mais excellente nourriture italienne de tous les jours à Little Italy.

Raja Rani
104 MacDougal Street
Tél. 260-2380
Sans doute le seul restaurant indien/mexicain du monde. Avec un tél mélange, impossible de se tromper. Bon et pas cher.

Sammy's Roumanian Steak House
157 Chrystie Street
Tél. 673-0330
Bizarre restaurant juif sur Lower East Side. La nourriture est démente mais chère. Bruyant et à la limite du kitsch.

Un verre au Village

Vincent's Clam Bar
119 Mott Street
Tél. 226-8133
Le paradis des calamars à Little Italy. Trois catégories de sauce piquante : doux, moyen et fort. Pour les gens normaux, cela veut dire : fort, plus fort et infernal. Commander de l'eau en plus pour éteindre l'incendie.

Midtown

Akbar
475 Park Avenue
Tél. 838-1717
Très bonne cuisine indienne. Très bon marché aussi malgré sa situation.

HOURGLASS TAVERN
373 West 46th Street
Tél. 265-2060
Il n'y a qu'à New York que l'on peut trouver ça ! Sur chaque table, un sablier égrenne les minutes. Au bout de 59 minutes, on doit quitter l'établissement. Bons repas à prix modiques. Parfait pour voyageur désargenté et ceux qui mangent vite.

JEZEBEL'S
630 Ninth Avenue
Tél. 582-1045
Soulfood; *elégant, des prix élevés.*

MITSUKOSHI
461 Park Avenue
Tél. 935-6444
Cuisine japonaise un peu folle avec bar à sushis dans Midtown est.

LUTÈCE
249 East 50th Avenue
Tél. 752-2225
Un des meilleurs – sinon le meilleur – restaurant français. Très compétent, sans être arrogant. Prix astronomiques.

PALM
837 Second Avenue
Tél. 687-2953
Venir avec de l'appétit, car les portions sont géantes. Restaurant à steak et à homards bruyant, avec beaucoup d'ambiance. Un bon repas n'est pas bon marché : environ 50 $ par personne.

P.J. CLARKE'S
925 Third Avenue
Tél. 355-8857
Une taverne classique de New York : bière au tonneau, un brin de conversation et de vrais hamburgers.

TIBETAN KITCHEN
444 Third Avenue
Tél. 679-6286
Solide cuisine végétarienne du pays du Dalaï-Lama.

Z.
117 East 15th Street
Tél. 254-0960
Cuisine grecque bon marché. Grosses portions.

ZUCCHINI
1336 First Avenue
Tél. 249-0559
A retenir pour le brunch du dimanche matin.

Uptown

ELAINE'S
1703 Second Avenue
Tél. 534-8103
Encore un restaurant pour l'élite. Entrée possible uniquement avec un client attitré. Cher.

FLOR DE MAYO
2651 Broadway
Tél. 663-5520
Un des meilleurs restaurants cubains/chinois. L'atmosphère laisse à désirer mais les prix sont imbattables.

FOREST & SEA INTERNATIONAL
477 Amsterdam Avenue
Tél. 580-7873
Un des préférés des yuppies de Upper West Side, sans les prix yuppies. La plupart des plats ont une délicate touche indonésienne.

Fujihama Mama
467 Colombus Avenue
Tél. 769-1144
Techno-sushi. Nouvelle vague japonaise servie avec du rock'n roll. Amusant mais cher.

La Caridad
2199 Broadway
Tél. 874-2780
Encore un solide restaurant cubain/chinois. Bons repas, prix modérés à Upper West Side.

Le Cirque
58 East 65th Street
Tél. 794-9292
Un restaurant de pointe avec une atmosphère amicale et une excellente cuisine. Populaire chez les politiciens et les hommes d'affaires. Cher mais pas absurde.

Mughlai
320 Colombus Avenue
Tél. 724-6363
Yuppi/indien. Bon repas à des prix uptown, abordable mais pas bon marché.

Piccolino
448 Amsterdam Avenue
Tél. 873-8004
Un Italien élégant sur Upper West Side. Etonnant, bon et pas cher.

Rathbones
1702 Second Avenue
Tél. 369-7321
Steaks, hamburgers et bière pour moins de 10 $ dans un pub propre et bien aménagé. La cerise sur le gâteau : les limousines chez Elaine's tout à côté.

Serendipity
225 East 60th Street
Tél.838-3531
Amusant, bon marché, original.

Sign of the Dove
1110 Third Avenue
Tél. 861-8080
Merveilleux et élégant. Repas admirablement préparés. Costume et cravate exigés. Au moins 60 $ par personne.

Vasata Restaurant
339 East 75th Street
Tél. 988-7166
Très bonne cuisine yougoslave à des prix abordables.

A Manhattan, acheter peut facilement devenir une occupation à plein temps. Depuis la haute couture jusqu'aux fripes, depuis l'âge de pierre jusqu'à la haute technologie, la ville est un grand bazar. Comme on le dit si bien, s'il y a quelque chose, c'est à New York et si on a assez d'argent, alors on peut se l'offrir.

Il en va des possibilités d'achat comme de la ville elle-même : elles changent radicalement d'une rue à l'autre. Dans **Midtown** se concentrent les grands magasins, qui recrutent leur clientèle dans les couches moyennes et supérieures. Dans la **Cinquième Avenue**, la **57ème Rue** et **Madison Avenue**, se succèdent les boutiques chics pour les super-riches. Dans **Upper West Side**, surtout dans Colombus Avenue, se trouvent les boutiques un peu meilleur marché et plus astucieuses que leurs rivales très arrivistes de **Upper East Side**. A Downtown, les magasins sont carrément funk. L'avant-garde siège toujours à **Soho**, bien que ces derniers temps, elle se soit plus étendue vers Colombus Avenue.

Néon et kitsch chez Dapy

Tout comme avant, les meilleures adresses pour des antiquités sont à **Greenwich Village** et à East Village, c'est tout simplement le chic radical – punk, funk, avec quelque chose d'écrasant. Sur **Lower East Side**, il y a des vêtements, des chaussures et des tissus, dans **Canal Street**, un choix énorme d'appareils électriques et électroniques.

Les Grands Magasins

Les grands magasins new yorkais sont beaucoup trop vastes pour des achats rapides. On n'y trouvera certainement pas le petit cadeau de dernière minute pour Tante Edwige. Ces dernières années, les magasins pour les classes moyennes ont poli leur image et leurs choix pour allècher la clientèle solvable. Même Macy's a suivi, avec naturellement pour résultat une augmentation des prix. Malgré tout, il y a toujours d'avantage de promotions, surtout si l'on a le temps et l'envie de se mêler à la foule. Mais si on préfère faire ses achats tranquillement, il vaut mieux choisir un matin de semaine.

En dehors des grands magasins déjà évoqués, il faut encore citer ALEXANDER'S (731 Lexington Avenue et 4 World Trade Center Plaza), avec des marchandises de qualité égales à celles de ses grands rivaux.

Mode

Toujours suivre les dernières tendance de la mode, voilà le jeu préféré et sans fin des New Yorkais nantis et bien habillés. L'argent n'a pas d'importance et **Madison**

Avenue est l'objet de toutes les convoitises. Par ailleurs, **Colombus Avenue** et les boutiques de Downtown n'offrent pas un mauvais choix. Les prix sont élevés, mais nullement inabordables. Les boutiques d'occasion (seconde main) ne sont pas mauvaises non plus, mais elles réussissent néanmoins à vendre très cher leurs vêtements « design ». Voici quelques adresses conseillées :

Brooks Brothers
346 Madison Avenue
Tél. 682-8800
Vêtements style collégian pour hommes d'affaires. Beaucoup de tweed et des costumes à rayures, avec des indémodables classiques de la plus grande qualité.

Canal Jean co.
504 Broadway
Tél. 226-1130
En tant que grossiste, le magasin ressemble à un hangard à avion. Mode-loisirs : jeans, chemises, manteaux etc. Bon choix de seconde main. Bien pour une garde-robe de base à des prix abordables.

Charivari
2339 Broadway
Tél. 873-7242
2307 Broadway
Tél. 873-1424
D'autres filiales dans différents quartiers de la ville. Un empire de Upper West Side, qui a envahi le reste de la ville. Pas aussi répandu que Benetton, mais presque. Mode pour hommes et femmes, chère, élégante et très décontractée.

Laura Ashley
398 Colombus Avenue
Tél. 496-5110
714 Madison Avenue
Tél. 371-0606
D'autres filiales dans différents quartiers de la ville.
Mode féminine et objets pour la maison avec une touche rustique. Sucré, sexy, néo-victorien et cher.

Alice Underground
380 Colombus Avenue
Le leader du marché d'occasion.

Trash'n'Vaudeville
4 St. Mark's Place
Tél. 982-3590
Boutique résolument « East Village », d'un chic radicalement punk et spirituel. Vêtements neufs et d'occasion à prix intéressants.

Promotions

A Manhattan, une chasse réussie aux promotions exige surtout du temps et de la patience. Les acheteurs expérimentés peuvent trouver des super-promotions – à condition de savoir où. Pour les vêtements et les tissus, il faut aller à **Lower East Side**, plus particulièrement à **Orchard Street** et **Essex Street Market.** Ici, cela vaut la peine de savoir pratiquer le grand art du marchandage. Les *Thrift shops* (boutiques d'occasion, dont les bénéfices profitent à une institution d'intérêt général) et les marchés aux puces ne sont pas mauvais non plus. On trouve des trift shops sur la **Troisième Avenue**, entre la 18ème et la 92ème Rue.

Les marchés aux puces se tiennent à l'angle de Broadway et de la 4ème Rue est, au coin de Spring Street et de Wooster Street, sur Colombus Avenue entre la 76ème Rue et la 77ème. On trouve parfois des produits vendus directement par le fabricant à **Garment District**. Si l'on est un *shopper* impitoyable ou si on ne sait pas s'y prendre, on aura du mal à faire des affaires.

Naturellement, la ville est également bien achalandée en caméras, appareils électroniques et électriques. Attention : vous devez toujours savoir précisément ce que vous voulez acheter. La plupart des magasins bon marché font des bénéfices sur le chiffre d'affaires, pas sur le service au client. Conseiller la clientèle n'est pas le point fort du vendeur, voilà pourquoi il faut être prudent. Il est possible de marchander.

En plus de chaînes comme **The Wiz,** les magasins suivants disposent d'un bon choix :

BROTHERS
130 West 30th Street
Tél. 695-4158

CAMERA BARN
1272 Broadway
Tél. 947-3510

47TH STREET PHOTO
115 West 45th Street
Tél. 260-4410
(fermé le samedi)

GRAND CENTRAL CAMERA
485 Madison Avenue
Tél. 986-2270

Epicerie Fine

La scène new yorkaise de la gourmandise « design » est dominée par trois étoiles, **ZABAR'S** (2245 Broadway, à côté de la 80ème Rue), **BALDUCCI'S** (424 Sixth Avenue, à côté de la 9ème rue) et **DEAN & DELUCA** (560 Broadway). Vous trouverez naturellement des spécialités nationales dans les quartiers correspondants. **Mott Street** est le centre commercial de **Chinatown** et **Mulberry Street** celui de Little Italy. **East Houston** et **Essex Street** sont célèbres pour leurs produits juifs. Quelques boutiques de spécialités allemandes et hongroises se sont installées à **Yorkville**, pendant que **La Marqueta**, sur Park Avenue entre la 11ème Rue et la 116ème Rue à **East Harlem**, est un énorme marché à ciel ouvert, très hispanisant.

Livres et Disques

En tant que centre de l'industrie du livre et du disque, New York dispose naturellement d'un bon choix dans ces deux domaines. Voici quelques adresses pour du neuf et de l'occasion :

BARNES & NOBLE
105 Fifth Avenue
Tél. 807-0099
D'autres filiales dans d'autres quartiers de la ville.
La plus grande et la meilleure chaîne de discount de la ville.

BIOGRAPHY BOOKSTORE
400 Bleecker Street
Uniquement des biographies.

BOOKS OF WONDER
464 Hudson Street
Tél. 645-8006
Livres d'enfants.

BOOKS & CO.
939 Madison Avenue
Un choix intélligent pour lecteurs cultivés.

BRENTANO'S
597 Fifth Avenue
Installé dans les anciens locaux de Scribner's *et poursuit la tradition de son prédécesseur.*

COLISEUM BOOK
771 Broadway

Tél. 757-8381
Une boutique immense avec un choix énorme de livres de poche.

THE COMPLEAT TRAVELLER
199 Madison Avenue
Tél. 679-4339
Un étonnant magasin rempli de livres de voyage.

B. DALTON
66 Fifth Avenue
Tél. 247-1740
Des filiales dans différents quartiers de la ville.
Une chaîne solide.

ENDICOTT BOOKSELLERS
450 Colombus Avenue
Tél. 787-6300
Une oasis de lecture paisible au centre de Upper West Side.

FORBIDEN PLANET
821 Broadway
Tél. 473-1576
Science-fiction, imaginaire et bandes dessinées.

GOTHAM BOOK MART
41 West 47th Street
Tél. 719-4448
France Steloff, la propriétaire aujourd'hui décédée, s'était faite connaître pour aimer et rechercher des auteurs comme James Joyce, Eugene O'Neill et Tennessee Williams. Etonnant par le choix de poésies et de Belles Lettres difficiles.

J & R MUSIC WORLD
23 Park Row
Tél. 732-8600
Bon choix à des prix abordables. Jazz et classique quelques portes plus loin.

MURDER INK
271 West 87th Street
Tél. 362-8905
La meilleure adresse de la place pour les thrillers et autres romans policiers.

OSCAR WILDE MEMORIAL BOOKSHOP
15 Christopher Street
Tél. 255-8097
Librairie gay dans le village.

RIZZOLI
31 West 57th Street
Tél. 759-2424
Autres filiales dans différents quartiers de la ville. Choix international et présentation d'ouvrages européens.

SHAKESPEARE & CO.
2259 Broadway
Tél. 580-7800
Bonne librairie dans Upper West Side, idéale pour bouquiner tard le soir.

ST. MARK'S BOOKSHOP
13 St. Mark's Place
Tél. 260-7853
Une bonne boutique dans East Village, appréciée de la « scène » de gauche.

STRAND BOOKSTORE
828 Broadway
Tél. 473-1452
« Huit kilomètres de livres », la plus grande boutique de livres d'occasion de la ville. Promotions démentes sur les nouvelles parutions.

TOWER RECORDS
692 Broadway
Tél. 505-1500
Une immense chaîne nationale de magasins. Tout en matière de vinyl et de CD.

Vie Nocturne

Comme toujours à New York, les deux conditions les plus importantes pour une vie de noctambule réussie sont l'argent et les réservations. Les shows vedettes de Broadway, les concerts et même les entrées dans les clubs sont pleins des semaines voire des mois à l'avance. Si vous voulez vraiment voir quelque chose, mieux vaut vous renseigner à l'avance.

En ce qui concerne l'argent, il en faut relativement beaucoup. Il y a toujours des alternatives agréables, mais les hits ont leurs prix... Des billets pour les shows de Broadway coûtent entre 40 et 60 $ (plus pour les spectacles en première exclusivité), de bonnes places au Metropolitan Opera coûtent entre 50 et 100 $ et dans les clubs, avec la boisson minimum obligatoire, on arrive vite à 25 $.

C'est cher, mais ça en vaut la peine (la plupart du temps). Les meilleurs artistes et les plus talentueux du pays et du monde entier se produisent à New York.

Les possibilités de soirées sont immenses, de sorte qu'il est difficile d'en avoir une vue d'ensemble. Les meilleurs programmes sont publiés par le *New York Times*, le *Village Voice*, le *New York Magazine* et *The New Yorker*. On peut obtenir des informations sur les spectacles pour

Ici se rencontrent les meilleurs du monde

Sur Broadway

enfants en-dehors des limites de la ville (théâtre, danse, musique et autres manifestations) en téléphonant au 1-800-STAGE-NY.

Théâtres

Il y a trois catégories de théâtres, selon les goûts, à New York Broadway, Off-Broadway et Off-Off Broadway. Les mises en scène de Broadway sont chères et professionnelles, celles de Off-Broadway, pour la plupart à Greenwich Village, sont exigeantes, mais ce sont des productions moins onéreuses. Le théâtre de Off-Off Broadway est expérimental, avant-gardiste, ce sont des productions « à petit budget », dont les places coûtent à peu près aussi cher qu'une place de cinéma.

Broadway

On trouve des billets à moitié prix sur les places invendues et pour le jour même au bureau de vente TKTS. Argent liquide ou chèque de voyage uniquement.

TKTS
47th Street et Broadway
Tél. 354-5800
Du lundi au samedi de 15 heures à 20 heures pour les représentations du soirmême.

Le samedi et le mercredi de 12 heures à 14 heures pour les matinées. Le dimanche de 14 heures à 20 heures pour des représentations l'après-midi et le soir mêmes.

TKTS
2 World Trade Center
Tél. 353-5800
Du lundi au samedi de 11 heures à 17 heures 30 pour les représentations du soirmême.

Billets pour les matinées du mercredi, du samedi et du dimanche un jour à l'avance.

Off-Broadway

Cherry Lane Theater
38 Commerce Street
Tél. 989-2020

Circle Repertory Company
99 Seventh Avenue South
Tél. 924-7100

Douglas Fairbanks Theater
432 West 42nd Street
Tél. 239-4321

Lucille Lortel Theater
121 Christopher Street
Tél. 924-8782

Manhattan Theater Club
131 West 55th Street
Tél. 645-5848

Negro Ensemble Company
424 West 55th Street
Tél. 246-8545

Orpheum Theater
126 Second Avenue
Tél. 477-2477

Provincetown Playhouse
133 MacDouglas Street
Tél. 777-2571

Public Theater
425 Lafayette Street
Tél. 598-7150
Le fief de Joseph Papps. Billets à moitié prix juste avant le spectacle.

Shakespeare in the Park
Delacorte Theater
Central Park, en juillet et en août
Tél. 861-7277
Scène de plein air, billets gratuits le jour même de la représentation. Longues queues et bonnes mises en scène, toujours avec des stars !

Off-Broadway, Greenwich Village

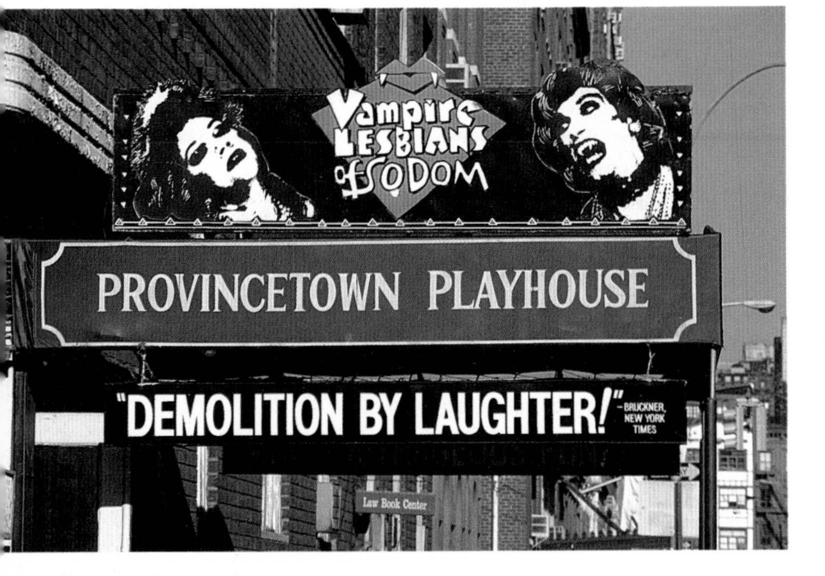

Off-Off-Broadway

Il y a plus de 200 scènes Off-Off en ville. Voici une première sélection :

Cafe La Mama Theater Club
74a East 4th Street
Tél. 475-7710

Ontological Hysteric Theater Company
105 Hudson Street
Tél. 941-8911

Playwrights Horizons
416 West 42nd Street
Tél. 279-4200

Soho Repertory Theater
80 Varick Steet
Tél. 226-5650

Theater at St. Peter's Church
Lexington et 54th Street
Tél. 935-2200

West Side Repertory
252 West 81st Street
Tél. 874-7290

Musique, Danse, Opéra

On trouve des billets à prix très réduits pour les représentations du jour même chez TKTS (Sixth Avenue et 42nd Street, Tél. 382-2323) à Bryant Park juste derrière la célèbre New York Public library. Voici quelques unes des scènes et des salles les plus renommées, y compris au Lincoln Center :

Alice Tully Opera
Lincoln Center
Tél. 362-1911
Le théâtre des « petites représentations » de la Julliard School. Musique de chambre classique.

American Ballet Theater
Lincoln Center
Tél. 362-6000
Il y a peu de temps encore, placé sous la direction de Mikhaïl Baryshnikov. La saison va de mai à juillet.

Avery Fisher Hall
Lincoln Center
Tél. 874-2424
Zubin Mehta dirige le New York Philarmonic de septembre à mai. En juillet et en août, surtout des concerts de Mozart.

Carnegie Hall
881 Seventh Avenue
Tél. 247-7800
Il y a de tout dans cette salle célèbre, du classique au comique. Classé monument historique.

City Center
131 West 55th Street
Tél. 581-7907
Alvin Alley, Joffrey Ballet et le dance Theater.

Light Opera of Manhattan
316 East 91st Avenue
Tél. 831-2000

Metropolitan Opera House
Lincoln Center
Tél. 362-6000
Les premiers rangs à des prix astronomiques. Il reste généralement des places assises juste avant la représentation. La saison va de septembre à mai.

New York City Ballet
Lincoln Center
Tél. 870-5570
Spectacles classiques avec Casse-noisette *à Noël. Représentations de mai à juin, et de novembre à février.*

Town Hall
123 West 43rd Street
Tél. 840-2824

Clubs

Les clubs new yorkais sont les plus enfiévrés et les plus intéressants du monde. Pour entrer dans les discothèques « in », il faut affronter les queues, les prix gonflés et surtout l'incontournable portier – un des rituels humiliants de la ville. Renseignez-vous auparavant par téléphone sur les prix et le minimum de consommations exigé.

Jazz

Amazonas
492 Broom Street
Tél. 966-3371
Bar/jungle avec restaurant et une musique brésilienne démente.

Blue Note
131 West 3rd Street, près de la Sixième Avenue
Tél. 474-8592
Un classique du jazz, un peu cher toutefois. Jazz-brunch le week-end.

Fat Tuesday's
190 Third Avenue et 17th Street
Tél. 533-7902
Les plus grands noms du jazz dans un caveau.

Sweet Basil
88 Seventh Avenue South et Bleecker Street
Tél. 242-1785
Une tradition dans le village, très bons brunches le week-end.

Village Gate
160 Bleecker Street
Tél. 475-5120
Un des plus anciens et l'un des meilleurs.

Village Vanguard
178 Seventh Avenue South
Tél. 255-4037
Plus de cinquante ans d'existence et toujours un pôle d'attraction pour les grands noms.

Rock et Country

CBGB
315 Bowery
Tél. 982-4052
Nouvelle vague. Rendez-vous punk.

The Bottom Line
15 West 4th Street
Tél. 228-7800
Toujours quelques bons groupes et choix sans cesse renouvelé.

The Lone Star Roadhouse
240 West 52nd Street
Tél. 245-2950
Bonne musique et solides plats du Texas.

Danser et Boire

Cafe Ignana
235 Park Avenue South
Tél. 529-4770
Club yuppie avec des lézards accrochés au plafond.

Downtown Beirut
158 First Avenue
Tél. 260-4248
Intéressant décor d'un camp militaire, où l'on n'a pas oublié les fils barbelés. Parfois de la musique live.

Fanelli's
94 Prince Street
Tél. 226-9412
Petite taverne typique de Soho.

Limelight
47 West 20th Street
Tél. 807-7850
Cuisine néo-gothique avec des fenêtres en mosaïque et des bancs d'église. Bien fréquenté.

Marie's Crisis
59 Grove Street
Tél. 243-9323
Surtout un public gay pour un spectacle de cabaret.

McSorley's
15 East 7th Street
Tél. 473-8800
Le plus vieux bar de la ville et la Mecque des machos (strictement hétéro !). Souvent bondé en fin de semaine.

MK
204 Fifth Avenue
Tél. 779-1340
Une ancienne banque et le nouvel engouement des « gens chics ».

Nell's
246 West 14th Street
Tél. 675-1567
Le portier s'en va quand la foule déborde.

Tramps
45 West 21st Street
Tél. 727-7788
Chelsea Club du bon vieux temps avec un style bayou. Présente régulièrement ce que le cajun, le « zydéco », le rock et le boogie ont de mieux à offrir.

Wetlands
161 Hudson Street
Tél. 966-4225
Musique live et bonne ambiance. Dans le style des années 60.

Cabarets

Catch a Rising Star
1487 First Avenue
Tél. 794-1906
De jeunes talents qui montent.

Dangersfield's
1118 First Avenue
Tél. 593-1650
Jeunes talents et vieux loups dans la taverne de Rodney Dangersfields.

Improvisation
358 West 44th Street
Tél. 765-8268
Filiale sur la Côte Est d'une institution de la Côte Ouest.

LONDON
Hard Rock
CAFE
Hard Rock

Manhattan vite fait

Votre rendez-vous d'affaires a été annulé ? Votre avion a du retard. Celui ou celle que vous attendiez est resté coincé quelque part dans les embouteillages ?

Inutile de rester cloîtré dans votre chambre d'hôtel. Il y a des milliers de possibilités à New York, quand on a une ou deux heures à tuer. En voici quelques unes :

Alternative Museum
17 White Street
Tél. 966-4444
Du mercredi au samedi de 11 heures à 18 heures, fermé en été, entrée libre.

Expositions temporaires d'artistes contemporains. Comme son nom l'indique, on y trouve un peu n'importe quoi. Cela mérite une visite quand on a déjà parcouru toutes les galeries de Soho.

Cooper Hewitt Museum
2 East 91st Street et Fifth Avenue
Tél. 860-6868
Le mardi de 10 heures à 21 heures, du mercredi au samedi de 10 heures à 17 heures, le dimanche de 12 à 17 heures ; entrée 3 $, 1,5 $ pour les scolaires et les étudiants.

Le National Museum of Design du Smithsonian Institute *dans l'ancienne demeure d'Andrew Carnegie. Un bâtiment magnifique et une intéressante collection de plus de 150 000 objets. Vous pouvez téléphoner pour avoir des informations sur les expositions en cours.*

International Center of Photography
1130 Fifth Avenue et 94th Street
Tél. 860-177
Le mardi de 12 heures à 20 heures, du mercredi au vendredi de 12 heures à 17 heures, le samedi et le dimanche de 11 à 18 heures. Entrée 3 $.

A la fois une exposition permanente de chefs d'œuvre et des expositions thématiques avec une note expérimentale ou alternative. Une obligation pour les amateurs de photos.

Intrepid Sea-Air-Space Museum
Pier 86, West 46th Street et Twelfth Avenue
Tél. 245-2533
Du mercredi au dimanche de 10 heures à 17 heures, entrée 7 $, 4$ pour les enfants.

Des avions militaires sur un porte-avion de la Seconde Guerre Mondiale. Les enfants (et pas seulement eux) trouvent ça insensé.

Museum of American Folk Art
2 Lincoln Square, à côté du Lincoln Center
Tél. 977-7298

Tous les jours de 9 heures à 21 heures, entrée libre.

Merveilleuse petite collection d'art populaire américain. Les expositions changent constamment. Un bon divertissement avant l'Opéra ou le ballet.

MUSEUM OF THE AMERICAN INDIAN
3753 Broadway et 155th Street
Tél. 283-2420
Du mardi au samedi de 10 heures à 17 heures, le dimanche de 13 à 17 heures, entrée 3 $.

Une des meilleures collections artistiques mondiales sur les Indiens d'Amérique du Nord et du Sud. En 1993, le musée s'installera à l'Old Custom House. Un des joyaux cachés de la ville, qui mérite sans aucun doute une visite.

MUSEUM OF BROADCASTING
35 West 52nd Street
Tél. 752-4690
Du mardi au samedi de 12 heures à 17 heures, entrée 4 $, 3 $ pour les scolaires et les étudiants.

Quelques unes des archives de la radio et de la télévision mises à la disposition du public. L'occasion de revoir Elvis Presley lors de son premier passage à la télévision ou d'écouter un vrai show radiophonique des années 50. Plus des conférences et des films.

MUSEUM OF THE CITY OF NEW YORK
Fifth Avenue et 103rd Street
Tél. 534-1672
Du mardi au samedi de 10 heures à 17 heures, le dimanche de 13 heures à 17 heures ; entrée 4 $.

Le musée est consacré à l'histoire de New York et organise des visites en supplément. Renseignements dans le hall d'entrée.

PIERPONT MORGAN LIBRARY
29 East 36th Street
Tél. 685-0610
Du mardi au samedi de 10 heures 30 à 17 heures, le dimanche de 13 à 17 heures. Entrée 3 $.

Expositions temporaires d'objets de la collection du grand industriel J.P. Morgan : livres, manuscrits, œuvres d'art, peintures, sculptures. Dans la villa Morgan, construite en 1917 par la célèbre équipe d'architecte McKim, Mead et White.

SOCIETY OF ILLUSTRATORS' MUSEUM
128 East 63rd Street et Park Avenue
Tél. 838-2560
Du lundi au vendredi de 10 heures à 17 heures, le mardi de 10 heures à 20 heures, entrée libre.

Expositions temporaires d'affiches publicitaires, de cartoons, de dessins etc. La plupart thématiques ou consacrées à un artiste particulier.

Informations pratiques

DATES DE VOYAGE

La meilleure saison

Les meilleures saisons pour se rendre à New York se situent au printemps et à l'automne, quand le plus haut des gratte-ciel n'a pas de prise sur un ciel d'un bleu sans nuages. Au moment de Noël, la ville est particulièrement propre, mais il fait trop froid pour flâner dans les rues.

Juillet, août et septembre sont chauds et étouffants, de sorte que beaucoup de New Yorkais fuient vers la mer ou la montagne. La ville paraît alors relativement abandonnée. Mais à celui qui craint non pas les 35° à l'ombre, mais les hordes de touristes, on conseillera de venir en été.

Visa et douane

Depuis 1989, les visas ne sont plus obligatoires, mais il faut par contre posséder un passeport en cours de validité et un billet aller/retour, pour une durée maximale de 90 jours. Tous les visiteurs doivent se conformer à certaines formalités douanières. Les bagages sont contrôlés. Voici les règles à respecter :

– On peut apporter autant d'**argent** que l'on veut, mais les sommes supérieures à 1000 $ doivent faire l'objet d'une déclaration, à l'arrivée ou au départ.

– Les **objets personnels** sont exempts de droits à l'entrée et à la sortie des Etats Unis.

– Les **cadeaux** d'une valeur inférieure à 400 $ peuvent entrer sans déclaration en douane ni taxes. Celles-ci s'appliquent à partir de 400 $, avec un taux maximum de 10%, jusqu'à un plafond de 1400 $.

Monnaie

Les devises étrangères ne sont nulle part acceptées à New York et les bureaux de change sont plutôt rares. Pour les premières dépenses, il est conseillé de prévoir une centaine de dollars en petites coupures. Beaucoup d'hôtels changent de l'argent, mais les cours sont nettement plus intéressants dans les banques.

Bureaux de change

Thomas Cook Foreign Exange
160 East 53rd Street, Tél. 755-9780
Cheque Point USA
551 Madison Avenue, Tél. 980-6443
Deak International
29 Boadway, Tél. 635-0540
630 Fifth Avenue, Tél. 757-6915
41 East 42nd Street, Tél. 883-0400
1 Herald Square, Tél. 736-9790

L'unité monétaire américaine est le dollar. Un dollar comprend 100 cents. Il existe quatre pièces de monnaie : le *penny* (1 cent), le *nickel* (5 cents), le *dime* (10 cents) et le *quarter* (25 cents). Il est rare de trouver des pièces d'un-demi dollar. Il y a des billets de banque de 1, 5, 10, 20 et 50 dollars, mais attention, ils ont tous la même taille et la même couleur !

Au lieu de transporter sur vous de grosses sommes d'argent liquide, utilisez plutôt les chèques de voyage. Les cartes de crédit sont également répandues et très utiles. Presque tous les restaurants et magasins acceptent « l'argent en plastique » (American Express, visa, Mastercard, Diner's Club).

Comment s'habiller

A New York, tout est permis ou presque – depuis le débraillé jusqu'à l'élégance raffinée. C'est valable également pour les théâtres. Mais si on ne veut pas se faire remarquer – et être admis dans les grands restaurants – il vaut mieux porter une veste ou une cravate. Pour les femmes, des pantalons bien coupés ou un tailleur élégant sont conseillés. *Appropriate attire*, c'est-à-dire des vêtements sur mesure, est souvent une question de style personnel.

L'échelle des températures va du froid sibérien, à savoir –15°, à des chaleurs subtropicales et très humides (+ 35°). L'hiver est très long et le printemps très court. En avril, il peut encore geler et en mai, faire déjà très chaud. L'automne (septembre, octobre) est la plus belle saison et peut durer jusqu'en novembre. Le système de l'oignon (un vêtement par-dessus l'autre) a depuis longtemps fait ses preuves et il faut y avoir recours en toutes saisons, car en été, l'air conditionné provoque des refroidissements et en hiver, le chauffage est poussé a fond. On peut toujours essayer de se protéger des pluies diluviennes avec un parapluie, dans la mesure où il est suffisamment solide (après une violente averse, notez le nombre de parapluies cassés dans les caniveaux de New York...).

MINIGUIDE DE LA VILLE

Géographie

Manhattan est généralement divisée en trois zones : *downtown, midtown* et *uptown*. Downtown s'étend de la pointe sud de l'île jusqu'à la 14ème Rue et englobe le Financial District, Chinatown, Little Italy, TriBeCa (*Triangle Below Canal* Street), Soho, Lower East Side, East Village et Greenwich Village. Midtown commence à la 14ème Rue et finit à la lisière sud de Central Park (59ème Rue). Le quartier de Midtown comprend le Garment District (où sont installées les industries textiles), le Theater District, Clinton (autrefois connu sous le nom de Hell's kitchen), Turtle Bay, Chelsea et Midtown East. Uptown couvre le reste de l'île : Upper West Side, Upper East Side, Central Park, Morningside Heights, Harlem, East Harlem, Washington Heights et Inwoods.

Au sud de Houston Street et dans West Village, les rues portent des noms et à partir de Houston Street, elles portent des numéros. Les *Avenues* s'étirent du nord au sud (de la 1ère Avenue à l'est jusqu'à la 12ème à l'ouest), les *Streets* vont de l'ouest vers l'est. La cinquième Avenue est la colonne vertébrale de tous les numéros des maisons à l'ouest, signalés par le mot *West* (36 West 42nd Street veut dire que le n° 36 se trouve dans la 42ème Rue à l'ouest de la Cinquième Avenue). De la même façon, tous les numéros de maisons à l'est de la Cinquiè-

me Avenue sont signalés par *East* (Grand Central Station se trouve donc à l'est dans la 42ème Rue).

Si les New Yorkais se réfèrent aux points cardinaux *East* et *West*, tenez compte du fait que nord signifie Uptown et sud Downtown – c'est-à-dire que l'Empire State Building dans la 34ème Rue est *downtown* (au sud) de la cathédrale St. Patrick dans la 50ème Rue.

Les numéros des maisons dans les rues numérotées se trouvent dans les avenues suivantes :

East Side :
1–49 entre la Cinquième et Madison Avenue
50–99 entre Madison et Park Avenue
100–149 entre Park et Lexington Avenue
150–199 entre Lexington et la Troisième Avenue
200–299 entre la Troisième et la Deuxième Avenue
300–399 entre la Deuxième et la Première Avenue

West Side :
1–99 entre la Cinquième et la Sixième Avenue
100–199 entre la Sixième et la Septième Avenue

Vue du World Trade Center

200–299 entre la Septième et la Huitième Avenue
300–399 entre la Huitième et la Neuvième Avenue
400–499 entre la Neuvième et la Dixième Avenue
500–599 entre la Dixième et la Onzième Avenue
600 et suivants entre la Onzième et la Douzième Avenue

C'est-à-dire que le 119 West 40th Street se situe entre la Sixième et la Septième Avenue.

Il existe un système mystérieux mais apparemment efficace pour trouver à quelle hauteur se situe tel numéro sur une avenue. Il faut faire l'opération suivante :

1. On barre le dernier chiffre du numéro de l'adresse.
2. On divise le reste par 2.
3. On additionne ou on soustrait en fonction des éléments suivants :

Première Avenue + 3
Deuxième Avenue + 3
Troisième Avenue + 10
Lexington Avenue + 22
Park Avenue + 34
Madison Avenue + 26
Cinquième Avenue :
N° 1 à 200 : + 13

N° 201 à 400 : + 16
N° 401 à 600 : + 18
N° 601 à 775 : + 20
Sixième Avenue : - 12
N° 1 à 1800 :+ 12
N° 1801 et suivants : + 20
Huitième Avenue + 9
Dixième Avenue + 14
Onzième Avenue + 15
Broadway - 30

Par exemple le 666 Cinquième Avenue se situe à côté de la 53ème Rue (66, dernier chiffre barré = 66, divisé par 2 = 33 + la clé 20). C'est pourtant simple, non ?

Climat

A New York, les quatre saisons sont bien tranchées. De la fin novembre à février, les températures varient de - 5° à + 5°, de mars à mai, entre + 2° et + 20°, de juin à août entre 15° et 32°, de septembre à novembre de 5° à 23°.

Décalage horaire

New York vit à l'heure de l'Eastern Standard Time. Pendant la période estivale, du printemps à l'automne, on avance sa montre d'une heure. Il y a 6 heures de décalage (- 6 heures) entre Paris et New york.

Sécurité

New York est tristement célèbre pour son taux élevé de criminalité, mais si l'on observe quelques règles de prudence fondamentales, on ne devrait pas avoir de problèmes. Règle N° 1 : faire preuve d'un minimum d'intelligence. Les grosses sommes d'argent, les montres de prix et les bijoux de famille doivent impérativement rester à la maison. Tenir toujours fermement son sac ou sa malette devant soi. Dans la mesure du possible, les femmes doivent éviter de voyager seules la nuit et, que l'on soit homme ou femme, mieux vaut éviter la nuit les rues inconnues ou désertes. Vous devez toujours savoir où vous êtes ou où vous devez aller – ou du moins, faites comme si vous le saviez. Montrez-vous sûr de vous, même si vous ne l'êtes pas.

Malgré tout ce que l'on peut dire, le métro n'est pas dangereux, c'est même le meilleur moyen de parcourir de longs trajets. Si vous voyagez de nuit, restez près des distributeurs *token* (jetons) protégés par des policiers armés jusqu'aux dents, ou dans les *Off hour waiting area* signalées en jaune. Les gens accordent beaucoup d'importance à la sécurité : plus le wagon est plein et mieux c'est. Sur les lignes principales, vous rencontrerez encore beaucoup de monde à 2 heures du matin. Cependant, les bus et les taxis sont plus agréables que le métro puant mais efficace. Si vous êtes victime d'une agression, cherchez aussitôt le commissariat de police le plus proche, pour déposer plainte. Il est vraisemblable que la police ne retrouvera pas votre agresseur, mais elle vous fournira les papiers nécessaires pour faire jouer votre assurance. Il n'y a pas de réaction « correcte » à une agression (*mugging*). Donnez toujours au *mugger* ce qu'il vous demande et vous pouvez être sûr qu'il ne s'attardera pas dans les parages. Mais une fois encore, prévenez la police (Tél. 911 pour appeler la police, les urgences ou les pompiers).

HERITAGE TRAIL

Pourboires

Aux USA, les serveurs gagnent leur vie avec les pourboires, car les salaires de base sont ridiculement minces. Le pourboire n'est pas indiqué sur la carte et se situe entre 15 et 20%. Dans beaucoup de restaurants, le personnel sait que souvent les étrangers ne laissent pas de pourboires et majorent donc l'addition de 15% environ. Les porteurs reçoivent 75 cents ou 1 dollar par paquet.

INFORMATIONS TOURISTIQUES

On trouve brochures, cartes, calendrier des fêtes et liste des hôtels au *New York Convention and Visitors Bureau*, 2 Colombus Circle, New York, NY 10019, Tél. 397-82222. Le calendrier actualisé des fêtes et manifestations (souvent commenté) paraît le dimanche dans le *New York Times*, le *Village Voice* (tous les mercredis), le *New York Magazine* et *The New Yorker*.

Tours de ville et visites guidées

Les entreprises suivantes offrent des visites intéressantes :

ADVENTURE ON A SHOESTRING
300 West 53rd Street
Tél. 265-2663
Visites originales à pied, qui sortent de l'ordinaire. Les circuits changent tout le temps, mieux vaut donc se renseigner avant par téléphone.
ART TOUR OF MANHATTAN
63 East 82nd Street
Tél. 772-3888
La meilleure organisation de la place.
BACKSTAGE ON BROADWAY
228 West 47th Street
Tél. 575-8065
Un coup d'œil fascinant dans les coulisses pour tous les amateurs de théâtre.
GRAY LINE TOURS
900 Eighth Avenue
Tél. 397-2620
Organisateur expérimenté de tours sérieux en bus, en bateau et hélicoptère.
MUSEUM OF THE CITY OF NEW YORK
Fifth Avenue et 103rd Street
Tél. 534-1034
Visites guidées historiques.

EN ROUTE

Moyens de transport

Le Métro

Le métro new yorkais peut fortement choquer les âmes sensibles, mais c'est le moyen le moins cher et le plus rapide pour aller d'un point à un autre (sauf exception, bien entendu). Le prix unique pour l'ensemble du réseau (y compris les correspondances) est de 1,15 $. Les jetons ou *tokens*, sont en vente dans la station, dans des petites cabines de verre.

La plupart des 20 lignes de métro de Manhattan relient Uptown à Downtown. Les plus importantes sont les lignes 1, 3 et 4 dans la partie ouest et pour la partie est, les lignes 4, 5 et 6. Les lignes 1 et 6 sont des *locals*, c'est-à-dire qu'elles sont omnibus et s'arrêtent partout. Les lignes 2, 3, 4 et 5 sont *express*, elles ne s'arrêtent qu'aux stations les plus importantes.

Dans la 42ème Rue, un *shuttle* ou navette fait la liaison entre Grand Central Station et Times Square, c'est-à-dire entre les lignes est et ouest. Même chose pour la ligne L dans la 14ème Rue.

On trouve des cartes et des plans du métro à chaque distributeur de jetons. La *Transit Authority* donne aussi des informations au 718-330-1234.

Il faut absolument éviter de prendre le métro aux heures de pointe, c'est-à-dire entre 7 et 9 heures le matin et 16 et 18 heures en fin d'après-midi. Le métro circule 24 heures sur 24, y compris le dimanche, mais beaucoup de lignes ont des itinéraires variables.

Les bus

Les bus sont agréables, mais lents. Ils circulent sur la plupart des grandes artères et coûtent 1,15 $, soit avec des ticket (comme dans le métro), soit avec de la petite monnaie. Le chauffeur n'accepte pas les billets ni les cents ! En montant, demandez un ticket de transfert pour une correspondance (*add-a-ride*) avec un autre bus. Pendant les heures de pointe, les bus n'avancent que sur un rythme saccadé et nerveux.On trouve des plans du réseau de bus au Transit Office au niveau principal (*main concourse*) de Grand Central Station.

Les taxis

Les taxis sont pratiques, mais présentent certains inconvénients. Ils sont chers, les chauffeurs parfois mal aimables, parlent souvent tout juste anglais et se perdent. Bien que la ville grouille de taxis, on n'en trouve aucun lorsqu'on est pressé, c'est-à-dire lorsqu'il pleut ou tard dans la nuit.

Mieux vaut prendre les taxis jaunes – ils ont une licence délivrée par la ville, ils sont assurés et pratiquent des prix préétablis. Les *Gypsy Cabs*, taxis non répertoriés et sans licence, sont fortement déconseillés. Ils n'ont pas de taximètre et le prix doit être débattu avant la course. Quand les choses tournent mal, les *Gypsy Cabs* sont impossibles à retrouver.

Le tarif de base est relativement élevé et on arrive vite à 5 $ pour une course ordinaire. Le chauffeur ajoute 15 ou 20% de pourboire. Indépendamment du temps de la course et de l'attente, le taximètre monte encore plus vite dans les gros embouteillages. Préparer de la monnaie car les chauffeurs renâclent souvent à changer de gros billets (audessus de 10 $).

Dans les bons hôtels, les résidences de standing et les restaurants, les portiers vous appelleront un taxi volontiers. Sinon, essayez la méthode typiquement new yorkaise (même si elle paraît suicidaire) – plantez-vous sur la chaussée et faites des signes jusqu'à ce qu'un taxi s'arrête. Savoir siffler entre ses doigts peut être aussi extrêmement efficace. Légalement, les taxis doivent vous emmener n'importe où à l'intérieur des cinq districts et des trois aéroports (JFK, LaGuardia et Newark). Mais la loi n'est guère respectée, à New York !

Ne vous laissez pas démonter par les avertissements. Une course en taxi la nuit par les rues éclairées au néon de Manhattan est un évènement !

Limousines

Une *limo* n'est pas une petite limonade (on dit alors *soft drink*), mais une voiture de location avec chauffeur. Tous les meilleurs hôtels peuvent vous commander l'une de ces carrosseries longues et somptueuses. Elles ne sont pas uniquement réservées aux mafiosi, rockstars et autres gros légumes.

Circulation

Conduire une voiture dans Manhattan est un plaisir masochiste. Cela ne pose pas de problème en soi – on s'habitue vite au style chaotique et aux nids-de-poule profonds parfois d'un mètre. Mais le stationnement ! L'ancien maire Ed Koch disait : « Je me gare, donc je suis ». Il n'y a pratiquement pas de place dans les rues et les garages/parkings sont hors de prix. Bref, vous avez tout intérêt à aller à pied.

Mais si l'on veut malgré tout conduire et louer une voiture, on peut s'adresser à l'une des nombreuses sociétés de location, soit en consultant les pages jaunes de l'annuaire téléphonique, soit en s'adressant à la réception de l'hôtel. Les grandes chaînes disposent du meilleur choix, mais aussi du plus cher. Le conducteur doit avoir au moins 21 ans et posséder au moins une carte de crédit universellement reconnue. Beaucoup de sociétés exigent un âge minimum de 25 ans et deux cartes de crédit. Pour les étrangers, une carte de crédit et leur passeport suffisent généralement. La responsabilité civile, au tiers ou tout risque est la plupart du temps comprise dans le prix. Comptez 45 à 65 $ par jour.

SE LOGER

Hôtels

A New York, les hôtels sont chers. Il n'y a pas de motel bon marché et propre, comme on en trouve dans toutes les petites villes américaines. A quelques exceptions près, une chambre qui coûte entre 60 et 70 $ est vraisemblablement inconfortable, malpropre et peu sûre. A long terme, les différences de prix se justifient. Certes, un bon hôtel grève le budget du voyage, mais l'ambiance est sans comparaison.

Voici quelques adresses conseillées. Les prix indiqués s'entendent sans les taxes de la ville et de l'Etat (compter environ 14% en plus) :

Bon Marché

The Chelsea
22 West 23rd Street
Tél. 234-3700
Dans ce haut lieu du temps passé, à côté des chambres pour étudiants, on peut louer aussi des suites à 250 $.
Chambre simple de 45 à 99 $, chambre double de 65 à 125 $.

The Gorham
136 West 55th Street
Tél. 245-1800
Solide hébergement sans fioritures. Un petit coin cuisine dans presque toutes les chambres permet d'éviter de sortir et donc d'économiser de l'argent. Bien situé dans Midtown.
Chambre simple de 85 à 115 $, chambre double de 95 à 125 $, suites de 120 à 160 $.

Hotel Olcott
27 West 72nd Street
Tél.877-4200
Plus appartements que chambres d'hôtel, tous avec coin cuisine et réfrigérateur. A quelques pas seulement de Central Park et de Colombus Avenue dans Upper West Side. Une bonne adresse pour un séjour prolongé.
Chambre simple : 75 $ (450 $ par semaine), chambre double : 85 $ (500 $ par semaine), suite : 105 $ (625 $ par semaine).

Pickwick Arms
230 East Side 51st Street
Tél. 355-0300
Rien de particulier, si ce n'est les prix plutôt modestes.
Chambre simple de 40 à 60 $, chambre double : 80 $.

Remington
129 West 46th Street
Tél. 221-2600
Hôtel agréable avec quelques charmants détails. Vainqueur dans sa catégorie.
Chambre simple : 65 $, chambre double : 70 $.

YMCA-Sloane House
356 West 34th Street
Tél. 760-5850
YMCA-Vanderbilt
224 East 47th Street
Tél. 755-2410
YMCA-West Side
5 West 63rd Street
Tél.787-4400
Tous les YMCA offrent un solide confort standard minimum à bas prix. Très bien pour les petits budgets.
Chambre simple de 29 à 48 $, chambre double de 42 à 98 $.

Catégorie Moyenne

Algonquin
59 West 44th Street
Tél. 840-6800
Célèbre hôtel littéraire dans les années 30, toujours beaucoup de style. Atmosphère intéressante.
Chambre simple : 175 $, chambre double à partir de 185 $, suite à partir de 330 $

Hotel Beverly
125 East 50th Street
Tél. 753-2700
Petit, charmant et accueillant dans un quartier frénétique : l'East Side tout à côté de Waldorf-Astoria.
Chambre simple de 129 à 159 $, chambre double de 139 à 169 $, suite de 70 à 200 $.

Doral Park Avenue
70 Park Avenue
Tél. 687-7050
Un hôtel étonnammant amical de la chaîne Doral dans un quartier résidentiel tranquille de l'East Midtown.
Chambre simple de 165 à 185 $, chambre double de 185 à 205 $, suite de 385 à 725 $.

Gramercy Park Hotel
Lexington Avenue
Tél. 475-4320
Un hôtel tranquille, discret et pour le prix, relativement élégant, avec vue sur le Gramercy Park.
Chambre simple de 115 à 125 $, chambre double de 120 à 130 $, suite à partir de 150 $.

Morgan's
237 Madison Avenue, Tél.686-0300
Fait partie des hôtels « in » de New York. Jacuzzi, stéréo et chaîne de TV cablée dans les chambres.
Chambre simple : 195 $, chambre double : 215 $, suite de 270 à 380 $.

Radisson Empire Hotel
44 West 63rd Street
Tél.265-7400
Amical, agréable et rénové; bien situé pour les fans du Lincoln Center et de Upper West Side.
Chambre simple de 150 à 250 $, chambre double de 170 à 220 $, suite de 195 à 300 $.

Wyndham Hotel
42 West 58th Street
Tél. 753-3500
200 chambres/appartements magnifiquement situés, à quelques pas seulement de la Cinquième Avenue, de la 57ème Rue Ouest et de Central Pak sud. Très apprécié des amateurs de théâtre et de cinéma.
Chambre simple de 110 à 120 $, chambre double de 125 à 135 $, suite de 170 à 335 $.

Cher

The Lowell
28 East 63rd Street
Tél. 838-1400
Très élégant, très anglais, à proximité de Madison Avenue.
Chambre simple de 220 à 260 $, chambre double : 280 $, suite de 360 à 1200 $.

Mayfair Regent
610 Park Avenue et 65th Street
Tél. 288-0800
Elégance italienne et service de première classe.
Chambre simple de 255 à 320 $, chambre double de 275 à 395 $, suite de 405 à 1700 $.

New York Hilton
1335 Sixth Avenue (avenue of the America)
Tél. 586-7000
Un des meilleurs hôtels pour les voyages d'affaires, mais élégant avec un amour étonnant du détail. Parfaitement situé au Rockefeller Center.
Chambre simple de 210 à 250 $, chambre double de 235 à 275 $, suite de 395 à 2500 $.

The Plaza
Fifth Avenue et 59th Street
Tél. 759-3000
Elégance européenne à cent pour cent. Rien que la situation vaut chaque dollar dépensé : sur Central Park.
Chambre simple de 215 à 480 $, chambre double de 245 à 480 $, suite de 550 à 5000 $.

Regency
540 Park Avenue
Tél. 759-4100
Luxueux et discret dans la meilleure tradition de l'East Side (c'est à dire fortune ancienne). Le point de chute des stars hollywoodiennes à la recherche d'un oscar.
Chambre simple de 215 à 270 $, chambre double de 240 à 295 $, suite de 550 à 1000 $.

The Ritz-Carlton
112 Central Park South
Tél. 757-1900
Ambiance agréable et vue imprenable sur Central Park.
Chambre simple de 180 à 340 $, chambre double de 210 à 370 $, suite de 550 à 1150 $.

Vista International
3 World Trade Center
Tél. 938-9100
L'un des rares hôtels de Downtown, idéal pour hommes d'affaires car situé à quelques minutes seulement de Financial District et Battery City Park. Une bonne adresse pour quelques jours de repos.
Chambre simple de 215 à 280 $, chambre double de 240 à 305 $, suite à partir de 525 $.

Waldorf Astoria
Park Avenue et 50th Street
Tél. 355-3000
Elegance art-déco. Plus qu'un hôtel, une institution. Luxueux et paisible avec une vue superbe sur Midtown. Les Waldorf Towers *sont réservées au dessus du panier de la High Society et définitivement hors de prix.*
Chambre simple de 215 à 290 $, chambre double de 240 à 315 $, suite de 350 à 1400 $.

Bed and Breakfast

Les agences de Bed and Breakfast louent des chambres simples et des appartements à des prix très intéressants, pour deux jours de séjour minimum et avec versement d'une caution. Certains sont dans une famille, d'autres plutôt anonymes, avec ou sans service dans les chambres. Les réservations doivent être faites au moins deux à quatre semaines à l'avance, quelques fois plus.

Agences :

City lights Bed & Breakfast
Box 20355, Cherokee Station
New York, NY 10028
Tél. 737-7049

Urban Ventures
P.O.BOX 426New York, NY 10024
Tél. 594-5650

New World Bed & Breakfast
151 Fifth Avenue, Suite 711
New York, NY 10011
Tél. 675-5600

HEURES D'OUVERTURE

En principe, les **magasins** sont ouverts du lundi au vendredi de 9 h à 17 h. Les **banques** sont généralement ouvertes du lundi au vendredi de 9 h à 15 h, mais beaucoup de grandes banques ont étendu leurs horaires, y compris au samedi matin.

Les **grands magasins** sont au moins ouverts du lundi au samedi de 10 h à 18 h, avec nocturnes le jeudi soir. Quelques uns restent même ouverts jusqu'à 20 ou 21 h et d'autres ouvrent le dimanche.

Tous les **bureaux de poste** sont au moins ouvert de 10 h à 17 h, certains plus tard dans l'après-midi et aussi le samedi matin.

JOURS FÉRIÉS

Lors des **jours fériés** suivants, les postes, les banques les administrations et beaucoup de magasins et de restaurants sont fermés :

1er janvier : Nouvel An.
15 janvier : Anniversaire de Martin Luther King.
Le dimanche de Pâques.
Le dernier lundi de mai : Memorial Day.
4 juillet : Independance Day.
1er lundi de septembre : Labor Day (fête du travail).
2ème lundi d'octobre : Veterans Day.
4ème jeudi de novembre : Thanksgiving Day.
25 décembre : Noël.

SANTÉ

En cas d'urgence, quelle qu'elle soit, en appelant le 911, on obtient les ambulances, la police et les pompiers. Si vous êtes malade à l'hôtel, la réception vous appellera volontiers un médecin (sous la rubrique *physicians* ou *clinics* dans les pages jaunes de l'annuaire). Par le 911, vous pouvez appeler une ambulance, ou vous rendre directement au service des urgences de l'hôpital. S'il n'y a pas de danger de mort, il faut compter quelques heures d'attente.

En cas d'urgence dentaire, vous pourrez joindre un dentiste à la *First District Dental Society*, Tél. 679-3966 ou 678-4172 (après 20 heures).

Hôpitaux

Parmi les 20 hôpitaux de Manhattan, tous très bons, voici les plus importants :

Bellevue Hospital
462 First Avenue et East 29th Street
Tél. 561-4141

Beth Israel Medical Center
First Avenue et 16th Street
Tél. 420-2000

Colombia Presbyterian Medical Center
161 Fort Washington Avenue
Tél. 305-2500
New York Sinai Hospital
525 East 68th Street
Tél. 746-5454
St. Luke's Roosevelt Hospital
Amsterdam Avenue et 114th Street
Tél. 523-4000
St. Vincent's Hospital
Seventh Avenue et West 11th Street
Tél. 790-7000

Assurances

Les hôpitaux sont certes obligés de s'occuper de toutes les urgences, mais si l'on n'est pas assuré, on peut s'attendre à une facture astronomique. Vous pouvez prendre une assurance maladie à votre agence de voyage. Beaucoup de médecins privés exigent d'être payés immédiatement. Si on ne peut pas payer, ou si on n'a pas pris d'assurance, on peut être rejeté.

MÉDIAS

Téléphone

New York City est divisée en deux réseaux (*area codes*). Manhattan et le Bronx ont le préfixe 212, Staten Island, Brooklyn et le Queens, le 718. L'indicatif du nord du New Jersey est le 201, celui du centre le 908 et celui du Connecticut, le 203. Pour un appel de longue distance, on compose le 1 + indicatif + N° de téléphone. L'indicatif disparait dans les appels locaux.

Si vous ne trouvez pas un numéro dans l'annuaire téléphonique, faites le 411 pour un numéro qui fait partie du réseau intérieur. Pour un numéro en dehors de New York City, faites le 1 + indicatif + 555-1222. Par le 0, vous obtenez l'opératrice qui vous aidera à joindre votre numéro si vous avez des difficultés. Vous obtiendrez facilement des informations sur les numéros gratuits en composant le 1-800-555-1212.

Il y a des téléphones publics à presque tous les coins de rues, dans les bâtiments publics, les théâtres, les hôtels et beaucoup de magasins. Les communications locales coûtent 25 cents pour les 3 premières minutes.

Poste

Si vous ne savez pas quelle sera votre adresse à New York, vous pouvez faire envoyer votre courrier à l'un des grands bureaux de la poste avec la mention *General Delivery c/o – nom de la ville –, Main Post Office*. Le courrier en poste restante doit être retiré par le destina-

Parade portoricaine

aire lui-même, qui doit prouver son dentité (par exemple avec son passeport t un billet d'avion ou une carte de crédit). Dans la plupart des hôtels, la réception accepte de garder le courrier.

Vous pouvez faire des envois express en une nuit) avec *Federal Express* ou le ervice express de la poste. On trouve partout dans Manhattan des bureaux Fedexpress ou des caisses express. Informations gratuites au 1-800-238-5355.

Comme la poste à l'intérieur de Manhattan est lente, beaucoup d'entreprises ont recours à des transporteurs privés ou *messengers*. Informations dans les pages jaunes de l'annuaire téléphonique ou auprès de l'entreprise avec laquelle vous êtes en rapport.

Téléfax

On trouve des fax, des photocopieurs et des imprimantes dans la plupart des hôtels, ainsi que dans les papeteries, et même dans les drugstores.

Télégrammes

Vous pouvez envoyer des télégrammes par l'intermédiaire de la *Western Union*. Renseignements gratuits sur les bureaux de la Western Union au 1-800-325-6000

Journaux

Il y a trois grands journaux à New york City : Le *New York Times*, le *Daily News* et le *New York Post*. Le Times est un journal très apprécié, plutôt intellectuel, alors que le News et le Post sont des journaux à sensation. C'est le Times qui, le vendredi, publie le meilleur calendrier des manifestations sous la rubrique *Weekend*, ou le dimanche dans *Arts and Leisure*. On le trouve aussi dans le Daily News, à la rubrique *City Lights*.

Le *New York Tribune* est relativement nouveau sur le marché de la presse new yorkaise. Le *New York Newsday* est le préféré des habitants de Long Island. L'hebdomadaire *Village Voice* donne des nouvelles de la ville, avec un bon calendrier des manifestations.

Les revues locales sont dominées par *7 Days*, le *New Yorker* et le *New Yorker Magazine*. *Details*, *Interview* et le spirituel *Spy* sont specialisés dans les potins.

Radio et Télévision

Il y a 7 chaînes VHF, plusieurs émetteurs UHF et diverses stations câblées. Voici les plus importantes :
Channel 2 WCBS
Channel 4 WNBC
Channel 5 WNYW
Channel 7 WABC
Channel 9 WWOR
Channel 11 WPIX
Channel 13 WNET

Il y a plus d'émetteurs ondes courtes et ondes moyennes que l'on peut en écouter. Voici les plus importants :
FM WQXR 96,3 : Musique classique
FM WNEW 102,7 : Rock
FM WNYC 93,9 : Jazz
FW WBGO 88,3 : Jazz
AM WOR 710 : Talkshows
AM WINS 1010 : Nouvelles
AM WCBS 800 : Nouvelles.
FM WQXR 96,3 : Musique classique
FM WBGO 88,3 : Jazz

CALENDRIER DES MANIFESTATIONS

Début mars : Exposition féline internationale, Madison Square Garden.
17 mars : Défilé de la Saint-Patrick, Cinquième Avenue.
3ème dimanche de mars : Défilé pour l'indépendance de la Grèce, Cinquième Avenue.
Fin mars : International Art Expo, Ja-

cob Javits Center.
Avril : Ringling Bros. & Barnum & Bailey Circus, Madison Square Garden.
Dimanche de Pâques : Défilé de Pâques, Cinquième Avenue.
Mid-mai : Festival ukrainien, 7ème Rue, entre la Deuxième et la Troisème Avenue.
Ninth Avenue International Food Festival : festival gastronomique ou Paddy's Market entre la 37ème et la 59ème Rue.
3ème dimanche de mai : Martin Luther's King Day, défilé sur la Cinquième Avenue.
Dernier lundi de mai : Memorial Day Parade, 72ème Rue et Broadway jusqu'à Riverside Drive et la 90ème Rue.
Mi-juin : Puerto Rican Day, défilé sur la Cinquième Avenue.
Lower East Side Jewish Festival sur East Broadway.
Fin juin : Gay Pride Day, défilé des homosexuels sur la Cinquième Avenue.
Juillet/août : Free Shakespeare in the Park, représentations théâtrales gratuites à Central Park.
4 juillet : Independance Day, feu d'artifice offert par Macy's sur East River, à la pointe de Manhattan.
Août : Festival de Jazz de Greenwich Village.
Septembre : Fêtes en l'honneur de San Gennaro, Little Italy (pendant 10 jours aux environs du 19 septembre).
Mi-septembre : Steuben Day Parade, Cinquième Avenue.
1er dimanche d'octobre : Hispanic Day Parade, Cinquième Avenue.
Début octobre : Colombus Day Parade.
Début novembre : Marathon de New York.
11 novembre : Veterans Day Parade, Cinquième Avenue.
Dernier jeudi du mois : Thanksgiving Day Parade, défilé offert par Macy's entre broadway et la 34ème Rue.
31 décembre : Saint-Sylvestre à Time Square.

SPORTS

Les quatre sports professionnels à New York – comme presque partout aux USA – sont le baseball (les équipes newyorkaises sont les *Yankees* et les *Mets*), le basketball (les *Knickerbockers* et les *Nets*), le football américain (les *Jets* et les *Giants*) et le hockey (les *Rangers*). Voici les plus grands stades :

MADISON SQUARE GARDEN
West 33rd Street et Seventh Avenue
Tél. 563-8300
Les Knickerbockers *y jouent d'octobre à mai.*
SHEA STADIUM
East Rutherford, New Jersey
Tél. 201-935-8500
Les Giants *de septembre à janvier, les Nets de novembre à juin.*
YANKEE STADIUM
161st Street et River Avenue, Bronx
Tél. 293-6000
Les Yankees *de mai à octobre.*

Les meilleurs hippodromes de New York sont le *Meadowlands, l'Aqueduc Race Track* et le *Belmont Race Track* dans le Queens (courses en été seulement).

La pratique d'un sport coûte cher à New York, car les *Health Clubs*, des clubs privés sportifs affichent des prix très élevés. Les meilleurs hôtels possèdent une piscine. Vous pouvez aussi vous adresser à l'YMCA.

ADRESSES UTILES

Banques Américaines

BANK OF AMERICA
335 Madison Avenue
Tél. 503-7000

CITY BANK
399 Park Avenue
Tél. 581-1981

City Bank
640 Fifth Avenue
Tél. 581-1981

Manufactures Hanover Trust
270 Park Avenue
Tél. 270-6000

Banques étrangères

National Bank of Canada
125 West 55th Street
Tél. 632-8500

Cartes de crédit et bureaux de change

American Express Travel Services
374 Park Avenue
Tél. 421-8240

Thomas Cook Foreign Exchange
160 East 53rd Street
Tél. 755-9780

Deak International
29 Broadway
Tél. 820-2470

Compagnies aériennes

Aero Mexico
37 West 57th Street
Tél. 800-237-6639

All Nippon Airways
630 Fifth Avenue
Tél. 800-235-9262

American Airlines
100 East 42nd Street
120 Broadway
873 Third Avenue
Tél. 800-433-7300

Continental Airlines
1 World Trade Center
100 East 42nd Street
Tél. 319-9494 ou 718-565-1100

Garuda Indonesian Airways
51 East Street
Tél. 370-0707

Lufthansa
750 Lexington Avenue
1 World Trade Center
Tél. 718-895-1277

Mexicana Airlines
500 Fifth Avenue
Tél. 800-531-7921

Piedmont Airlines
100 East 42nd Street
Tél. 697-0911
1 World Trade Center
Tél. 736-3200

Royal Air Maroc
666 Fifth Avenue
Tél. 974-3850

Sabena Belgian World Airlines
720 Fifth Avenue
Tél. 936-3113

United Airlines
100 East 42nd Street
1 World Trade Center
Tél. 800-241-6522

Consulats

Allemagne
460 Park Avenue
Tél. 308-8700

Arabie Saoudite
866 UN Plaza
Tél. 752-2740

Australie
636 Fifth Avenue
Tél. 245-4000

Belgique
50 Rockefeller Plaza
Tél. 586-5110

Brésil
630 Fifth Avenue
Tél. 757-3080

Bulgarie
121 East 62nd Street
Tél. 935-4646

Canada
1251 Avenue of the America
Tél. 768-2400

Colombie
10 East 46th Street
Tél. 949-9898

Corée
460 Park Avenue
Tél. 752-1700

Espagne
150 East 58th Street
Tél. 355-4080

France
934 Fifth Avenue
Tél. 606-3600

Grèce
29 Broadway
Tél. 425-5764

Grande-Bretagne
845 Third Avenue
Tél. 752-8400

Haïti
60 East 42nd Street
Tél. 697-9767

Hongrie
8 East 75th Street
Tél. 879-4127

Inde
3 East 64th Street
Tél. 879-7800

Indonésie
5 East 68th Street, Tél.879-0600

Irlande
515 Madison Avenue
Tél. 319-2555

Israel
800 Second Avenue
Tél.351-5200

Institut Culturel Italien
686 Park Avenue
Tél. 879-4242

Jamaïque
866 Second Avenue
Tél. 935-9OOO

Japon
299 Park Avenue
Tél. 371-822

Maroc
437 Fifth Avenue
Tél. 758-2625

Mexico
8 East 41st Street
Tél. 689-0456

Monaco
845 Third Avenue
Tél. 759-5227

Nigeria
575 Lexington Avenue
Tél. 715-7200

Nouvelle-Zélande
630 Fifth Avenue
Tél. 698-4680

Pakistan
12 East 65th Street
Tél. 879-2850

Pérou
805 Third Avenue
Tél. 644-2850

Philippines
556 Fifth Avenue, Tél. 764-130

Pologne
233 Madison Avenue
Tél. 889-8360

Portugal
630 Fifth Avenue
Tél. 246-4580

République Dominicaine
17 West 60th Street
Tél. 265-0630

Singapour
2 UN Plaza
Tél. 826-0840

Suède
825 Third Avenue
Tél. 751-5900

Suisse
665 Fifth Avenue
Tél. 758-2560

Turquie
821 UN Plaza
Tél. 949-0160

Vénézuela
7 East 51st Street
Tel. 826-1660

Yougoslavie
767 Third Avenue
Tél. 838-2300

Contributions visuelles

69	**APA Productions**
15	**Alex Bartel**
titre	**Manfred Gottschalk**
16	**Michel Hetier**
72, 79, 94	**Kelly/Mooney Photography**
27	**William Waterfall**
toutes les autres photographies	**Bill Wassman**
Ecriture	**V. Barl**
Cartes	**Berndtson & Berndtson, Fürstenfeldbruck**
Adaption et réalisation électronique	**GAIA Text, Munich**

A

B

C

D, E

F

G

H

I, J, K

L

M

N, O

P, Q

R

S

T

U – Z

NOTES

NOTES

NOTES

Titres déjà parus dans cette collection :

Barcelone

Berlin

Londres

New York

Paris

Rome

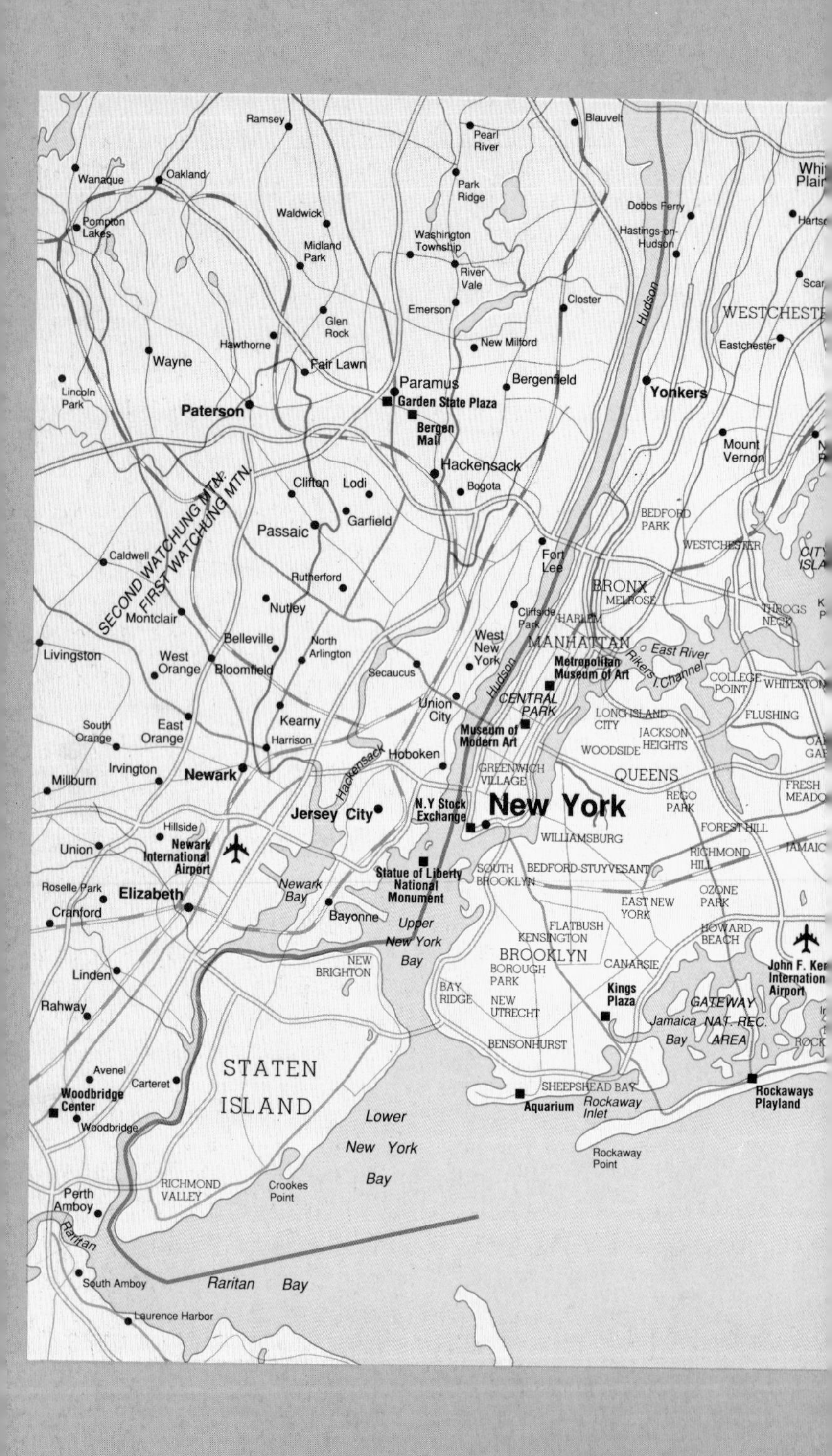

Ramsey
Blauvelt
Pearl River
Wanaque
Oakland
Park Ridge
Dobbs Ferry
Pompton Lakes
Waldwick
Washington Township
Hastings-on-Hudson
Midland Park
River Vale
Closter
Emerson
Glen Rock
Hudson
WESTCHESTER
Hawthorne
New Milford
Eastchester
Wayne
Fair Lawn
Paramus
Bergenfield
Yonkers
Lincoln Park
Garden State Plaza
Paterson
Bergen Mall
Mount Vernon
Hackensack
Clifton
Lodi
Bogota
SECOND WATCHUNG MTN.
FIRST WATCHUNG MTN.
Garfield
BEDFORD PARK
Passaic
WESTCHESTER
Caldwell
Fort Lee
Rutherford
BRONX
MELROSE
Nutley
Cliffside Park
HARLEM
THROGS NECK
Montclair
Belleville
North Arlington
West New York
MANHATTAN
East River
Livingston
West Orange
Bloomfield
Secaucus
Metropolitan Museum of Art
Rikers I. Channel
COLLEGE POINT
WHITESTONE
Hudson
CENTRAL PARK
Union City
LONG ISLAND CITY
FLUSHING
South Orange
East Orange
Kearny
Museum of Modern Art
JACKSON HEIGHTS
Harrison
WOODSIDE
Hackensack
Hoboken
Irvington
GREENWICH VILLAGE
QUEENS
Millburn
Newark
FRESH
REGO PARK
Jersey City
N.Y Stock Exchange
New York
Hillside
FOREST HILL
Union
Newark International Airport
WILLIAMSBURG
RICHMOND HILL
Statue of Liberty National Monument
SOUTH BROOKLYN
BEDFORD-STUYVESANT
Roselle Park
Newark Bay
OZONE PARK
Elizabeth
EAST NEW YORK
Cranford
Bayonne
Upper New York Bay
FLATBUSH
HOWARD BEACH
KENSINGTON
NEW BRIGHTON
BROOKLYN
CANARSIE
Linden
BOROUGH PARK
Kings Plaza
BAY RIDGE
NEW UTRECHT
GATEWAY NAT. REC. AREA
Jamaica Bay
Rahway
BENSONHURST
STATEN ISLAND
Avenel
Carteret
SHEEPSHEAD BAY
Woodbridge Center
Aquarium
Rockaway Inlet
Rockaways Playland
Woodbridge
Lower New York Bay
Rockaway Point
RICHMOND VALLEY
Crookes Point
Perth Amboy
Raritan
South Amboy
Raritan Bay
Laurence Harbor

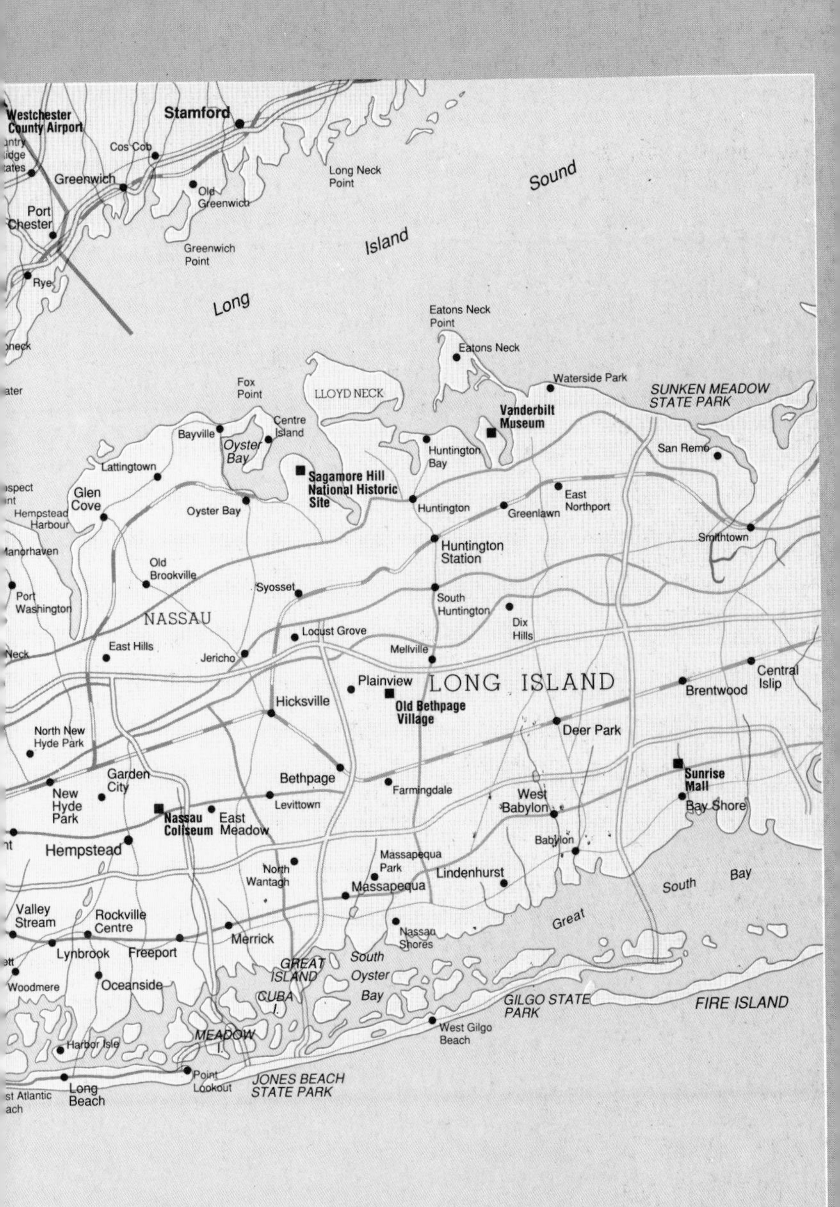

Quartiers administratifs de New York

5 miles/ 8 km